D0716093

Je ne vous quitterai pas

Pascal Louvrier

Je ne vous quitterai pas

roman

Allary Éditions

«Je crois aux forces de l'esprit
et je ne vous quitterai pas.»
Vœux de François Mitterrand, 1994

«Je ne suis pas un garçon comme les autres.»
François Mauriac

1

Il est plus difficile de finir que de commencer. Jacques Libert se répétait cette phrase en attendant le *motoscafo*. Il alluma une cigarette. Son médecin lui avait interdit de fumer, il continuait. Comme il continuait de boire et de se raser chaque matin. Ses chaussures de luxe brillaient au soleil d'un début d'avril printanier. Sa chemise bleue lui donnait bonne mine, alors qu'il allait bientôt mourir. Il lissa machinalement ses cheveux blancs et jeta un coup d'œil à sa montre. Dans une demi-heure, il serait à l'aéroport de Venise.

Il aurait voulu revoir le palais Balbi, l'ancienne maison de Zoran Mušič, le peintre qui accueillait le président de la République, dont Libert avait été le conseiller. Il aurait aimé allumer un cierge à San Trovaso, l'église où il avait fait la connaissance de Laure, sa femme. Mais il devait partir.

Il avait rendez-vous avec le dernier à-valoir de sa carrière, le plus gros.

*

Le taxi s'arrêta devant le 24, quai de Béthune, dans l'île Saint-Louis. Son éditeur le reçut en jean et chemise blanche, pas rasé, lunettes sur le haut de son crâne chauve, espadrilles orange aux pieds. La cinquantaine triomphante – sa masse corporelle le confirmait –, Dominique Salberg publiait les livres de Libert depuis que son précédent éditeur ne lui avait pas obtenu le prix Goncourt. C'était en 1981. Une magnifique année pourtant, soulignait l'écrivain, quand il avait des gens de droite en face de lui.

Salberg était toujours sur la défensive lorsqu'il le voyait. Il avait peur d'un coup d'éclat, même si Libert n'avait plus de souffle à perdre dans des discussions enflammées. Il venait lui apporter son nouveau roman dans lequel il disait tout de sa vie, évoquait sa femme, la mort qui venait, sa manière de l'appréhender. *Un léger remords*, c'est le titre, dit Libert en lui tendant la clé USB. Un peu oxymorique, répondit Salberg en l'invitant à s'asseoir devant son bureau débordant de manuscrits. Je vais le lire très vite. Je sais que vous êtes fatigué. Je peux vous offrir un café ? Libert refusa. L'euphémisme le fit sourire. Je sais que vous êtes fatigué signifiait vous n'allez pas tarder à disparaître, alors je vais me dépêcher. Si vous mourez juste après la parution, les ventes exploseront.

Salberg lui demanda s'il parlait de son rôle auprès du président. Avoir passé plus de trente ans à conseiller un homme politique qui entre à l'Élysée, ce serait un sacré livre.

Libert secoua la tête. Vous savez bien que je ne veux rien dire, répondit-il en regardant ostensiblement le ciel derrière la fenêtre. Je suis le seul à m'être tu. Tous ses conseillers, amis, faux amis, traîtres ont parlé. Même quand ils ignoraient tout, ils ont parlé. Ils ont menti. Ils ont nui. Avant, ils gardaient le silence, car il y avait un enjeu, le pouvoir. C'était un combattant hors-norme. Après, ils ont failli. Sauf deux ou trois, et encore.

Salberg l'interrompit. D'après la rumeur, il connaissait beaucoup de choses. Preuves à l'appui.

Libert sourit, de ce sourire inquiétant qu'on pouvait voir sur les photos volées par les journalistes non accrédités.

Je n'ai rien à vous répondre à ce sujet, Dominique. Voici le texte qui va vous assurer au minimum un an de trésorerie. Vous pourrez toujours promouvoir des individus qui se croiront écrivains alors que ce sont de pâles copistes sans talent. Et qui le resteront en proclamant que le style ne sert à rien de nos jours.

Ce sont des cracheurs de posts facebookiens, rien de plus. Il surprit Salberg en parlant de Facebook. Vous n'allez pas me dire que vous avez un compte, rétorqua-t-il, tout en jetant un coup d'œil à l'écran de son téléphone portable. Non, je n'ai pas de temps à perdre, répondit Libert. D'ailleurs, je vous préviens, je ne ferai qu'une interview. Une interview pour la télévision enregistrée chez moi. Et par une femme.

Quand il parlait de cette façon, l'éditeur savait qu'il fallait obtempérer. Même lasse, cette voix-là savait s'imposer. Je pense qu'on pourrait le publier en octobre, juste après la rentrée littéraire, suggéra l'éditeur. Libert acquiesça, et demanda que l'enregistrement soit fait dans les plus brefs délais.

Mais vous avez quoi au juste? Le cœur, répondit l'écrivain. J'ai trop vécu. C'est usé. Le président dont vous voudriez que je révèle les turpitudes ne m'a pas ménagé. Mais c'était tellement exaltant. Et encore, nous n'avions pas comme aujourd'hui plusieurs chaînes d'infos continues, les réseaux sociaux, les smartphones, etc. L'info en *live*, comme on dit. On n'aurait pas tenu quatorze ans. Oui, c'était exaltant.

Jusqu'à sa mort vous lui êtes resté fidèle, dit Salberg. Non, rétorqua Libert, jusqu'à maintenant, à la seconde où je vous parle. Il respira profondément.

Jusqu'à toujours. Beaucoup l'ont lâché à la fin, prétextant son passé durant la guerre. Mais ils savaient. La francisque proposée par un cagoulard, ils savaient. À commencer par le premier de la classe. Il s'est offusqué ! Tu parles ! Le président était mourant, alors il ne lui servait plus à rien ! Libert s'arrêta net. Il sortit de sa poche le nébuliseur de Ventoline et inhala trois fois. Il aura ma peau, ce marchand de livres. Et la photo où on le voit, à Paris, protester contre l'invasion des étrangers en 1935, parmi des étudiants en droit, cette photo publiée en 1994 dans le livre de ce journaliste avide de sensationnel, l'hebdomadaire *Minute* l'avait sortie dix ans auparavant ! Tu parles d'un scoop ! Tous savaient, tous !

L'éditeur, bien qu'inquiet pour Libert, laissa sa curiosité l'emporter. Pourquoi n'ont-ils pas parlé ou simplement quitté le navire ? Dominique, vous êtes naïf, soupira l'écrivain. On ne peut pas se sevrer comme ça du jour au lendemain. Le pouvoir, l'adrénaline du gyrophare sur le toit de la limousine, les ors de la République, vous n'imaginez même pas ce que ça fait. Et puis la lumière…, cette drogue dure, même dans l'ombre du président, cette lumière ! Elle peut pousser au meurtre, vous savez. Quand le président marchait dans les couloirs de l'Élysée, je le revois encore, il avait la pâleur de Cassius. Ils le craignaient, tremblaient sur leurs guiboles. Vous aussi, rétorqua

13

Salberg, qui voulait ce livre plus que jamais. Je l'aimais, dit Libert, il le savait. Comme il savait que je n'ignorais rien de lui. J'étais l'archiviste de sa part noire. De temps à autre, je le lui rappelais avec un petit détail bien précis. Il souriait, laissait dépasser ses affreuses incisives, que plus tard il a limées sur les conseils pressants de Jean-Pierre Melville, et il passait au dossier qui l'occupait, en murmurant : Faites au mieux. J'avais dynamité son système de cloisonnement. J'étais dans son cerveau. Je pensais comme lui, à partir de ses origines et de la terrible épreuve de la guerre. Sa métamorphose me fascinait. Le président à Vichy, c'était le piège des origines familiales et terriennes qui se refermait sur lui. Son éducation l'avait arrêté et conduit à l'erreur, à la faute même. Mais il est parvenu à échapper à ce déterminisme éducatif moisi. Il l'a dépassé pour devenir le premier président socialiste de la Vᵉ République. D'instinct, il a joué l'abolition de la peine de mort contre les forces du conservatisme déguisées en forces de progrès. Il a joué contre ses origines, brisant le moule. Ce travail sur soi est remarquable. Il a joué contre son père tout en restant fidèle à sa mère. Le jour où il a répondu à un journaliste agressif qu'il ne pouvait renier sa marque de fabrique, il avait tout dit. C'était irrévocable.

Sa mère, qui ne souhaitait pas qu'il parte, souligna Salberg. Sa mère, oui, reprit Libert, songeur. Mais pas seulement... Vous me donneriez presque envie de l'écrire ce livre. Je vous signe un contrat immédiatement! bondit Salberg. Je mets une étudiante à votre disposition pour les recherches et la rédaction. Vous savez que je ne vous ai jamais rien refusé.

Libert refusa. Salberg n'insista pas. Il dit qu'il l'appellerait le lendemain. Libert se leva avec difficultés. Il inspira profondément. Son cœur battait la chamade. Il s'approcha de la fenêtre pour contempler la Seine. Elle filait entre les berges, bouillonnante, comme fâchée d'avoir à traverser Paris. Salberg, commandez-moi un taxi. Qu'il vienne me prendre au 22, en souvenir de Baudelaire. Il a habité cet immeuble. C'est le président qui me l'a appris, un soir que nous nous promenions.

Avant de quitter son éditeur, Libert, en appelant l'ascenseur, lui dit : Le jour de la fameuse cérémonie du Panthéon, le président a salué le vieux Mendès France qui n'a pu contenir ses larmes. Mais ce n'étaient pas des larmes de joie, c'étaient des larmes de rage. L'Histoire accordait au président ce qu'elle lui avait refusé, comme elle l'avait refusé à Blum : la durée.

L'ascenseur emporta la silhouette voûtée de Jacques Libert. Il retrouverait bientôt sa propriété normande, face à la Manche, sur un bout de falaise fragile.

2

Durant le voyage en train, Libert lut tous les hebdo-madaires achetés à la gare Saint-Lazare. La cam-pagne présidentielle le captivait. Il était à peu près certain que le candidat socialiste serait élu. La gauche arrivait toujours au pouvoir quand la droite avait échoué à résoudre la crise. François Hollande était pugnace, il connaissait les pièges de la politique. Dans le regard de Nicolas Sarkozy il lisait désormais lassi-tude et ennui. Il demandait à ses électeurs de l'aider non pas à continuer mais à sortir de ce jeu infernal. Car c'était un jeu infernal. Libert avait toujours été en admiration devant la volonté du président. En 1994, alors qu'il était moribond, il lui avait fait cette confi-dence : si je pouvais me représenter, je les battrais tous. Quand il avait prononcé cette phrase, son regard brillait comme celui d'un possédé. Cette volonté de fer, Libert savait d'où elle venait ; il connaissait l'épreuve déterminante de sa vie. Le président l'avait surmontée.

Arrivé à la gare de Dieppe, un taxi l'attendait. C'était une Mercedes noire. Il aimait les grosses voitures. Son père avait toujours eu de magnifiques autos avec l'intérieur en cuir. Il montait sur la banquette arrière et le regardait conduire à toute allure. Hélas, le plus souvent, il était consigné à la maison par une mère autoritaire qui avait peur de tout.

Une photo du président tomba de son carnet de moleskine noire lorsqu'il le prit pour noter une réflexion. Il est allongé à plat ventre dans un champ de blé. Le ciel, en arrière-plan, est tout bleu. Au loin, des collines aux courbes sensuelles. Bronzé, large bouche, menton volontaire, traits virils, il respire la santé. Un bob kaki masque son regard. Il porte une veste en jean, de gros godillots de marche. S'il avait un fusil, on jurerait qu'il guette un gibier. Mais le président avait horreur de la chasse. Au dos de la photo, Libert a inscrit une date et un nom : 1970, Vézelay. En dessous, cette phrase de Mauriac : «Il a été cet enfant barrésien, souffrant jusqu'à serrer les poings du désir de dominer sa vie ; il a choisi de tout sacrifier pour cette domination.» Belle citation de l'auteur de *Thérèse Desqueyroux* que le président remercierait par ce jugement : c'est un bon romancier provincial.

Il savait flinguer.

Il regarda de nouveau la photo, en particulier les godillots. Nous portions les mêmes quand nous marchions des heures durant dans Venise, se dit Libert. Il regagnait seul le palais Balbi pour y vivre les amours adultérines qui auraient pu briser son destin. Mais il avait tant de dossiers sur les petits marquis de France, tant de misérables récompenses à distribuer. Tant de charme.

Libert demanda au chauffeur de stopper au sommet de la côte de Pourville pour admirer le point de vue. La Manche s'étirait à l'infini. Le soleil basculait de l'autre côté de la Terre, l'obscurité s'imposait, les falaises, droites comme des cris, montaient la garde. Dans l'un de ses premiers romans, il avait écrit que la couleur des falaises était éburnéenne. L'éditeur lui avait fait retirer l'adjectif sous prétexte que c'était pompeux. Il avait cédé. On ne lui donnait plus d'ordres désormais. Il était trop célèbre.

Il sortit du taxi. Le vent du nord l'ébouriffa. Le brouhaha des vagues emplissait le vide où se perdaient les signaux lumineux du phare d'Ailly. L'été, Laure, sa femme, venait ici voir le soleil dégringoler du ciel. Elle disait que les couleurs du paysage ressemblaient à celles d'un tableau de Courbet. Il remonta dans le taxi. La voiture avançait lentement, la route était étroite, des ombres inquiétantes défilaient derrière les vitres. Il ferma les yeux pendant trois ou quatre kilomètres et lorsqu'il les rouvrit le chauffeur prenait à droite. La route s'était transformée en un chemin cahoteux. L'hiver avait été rude, le gel et les fortes pluies avaient endommagé l'asphalte. Malgré les phares et sa vigilance, le conducteur ne vit pas un nid-de-poule qui secoua la voiture. Il jura. Heureusement, ils étaient presque arrivés. Une longue descente, le panneau marqué Vasterival, l'Hôtel de la Terrasse, un virage à gauche, un autre à droite, un parking où le taxi s'immobilisa. Libert paya la course, le chauffeur sortit du coffre la valise à roulettes, le vent était de plus en plus froid. Il s'engagea dans l'impasse (qui ne l'avait pas toujours été) débouchant sur la partie la plus haute de la falaise, où se trouvait sa vieille bicoque. Il marchait péniblement, en traînant sa valise devant les maisons situées en contrebas de la sienne. Leurs volets étaient fermés. Cela n'avait rien d'anormal, il était le seul propriétaire qui habitait ici toute l'année. Devant la grille d'entrée, des rafales l'obligèrent à se courber. Il dut reprendre son souffle. La lune éclairait faiblement le chemin, la maison ressemblait à un cargo fantôme perdu sur le Styx. Les arbres du jardin vibraient sous les assauts du vent. Des sifflements lugubres montaient derrière le garage, un volet battait contre le mur au premier étage. Il traversa le jardin et ouvrit la porte qu'il referma aussitôt.

Il était chez lui. Il retira son imperméable et s'allongea sur le canapé, exténué. Sur la table basse, il reconnut la carte postale de sa femme. C'était une photo de Notre-Dame de Paris. Il tendit le bras, la saisit et relut ce texte qu'il connaissait par cœur.

« *Gris. Tout est gris. Le ciel, les trottoirs, les façades, même les gouttes de pluie sont grises. Glacé. Tout est glacé. Le ciel, les trottoirs, les fenêtres, même les gouttes de pluie sont glacées. Triste. Tout est triste. Le ciel, les trottoirs, les appartements, même les appartements sont tristes. Je suis là. Suis-je vraiment là ? Déambulation d'une amnésique. Le froid, le vent, la pluie. Où est le soleil ? Les cheminées fument. C'est l'hiver. L'année va finir. Tu m'as tout ôté. Tout. Ce n'est pas la mort. C'est la non-vie. Laure.* »

Après, elle ne lui avait plus jamais écrit.

Cette carte, il ne voulait pas la ranger. Ainsi avait-il l'impression que Laure pensait toujours à lui et le condamnait à jamais.

Le vent continuait à souffler avec violence. Il passait sous la porte d'entrée, s'engouffrait dans le conduit de la cheminée, les murs suintaient d'humidité, la toiture fuyait, cette maison devenait insalubre, les insectes et les musaraignes y avaient trouvé refuge, elle était la plus proche du vide, mais il l'aimait, elle appartenait à Laure.

*

La sonnerie du téléphone le réveilla en sursaut. Il était toujours dans le canapé. Il décrocha et reconnut Daniel Morain, son vieux copain, l'ancien communiste, à présent maire socialiste de Dieppe. Je t'appelle sur le fixe, cria-t-il, car je sais que tu as des problèmes de réseau avec ton portable. Je suis content de savoir que tu es rentré. Il était volubile, il avait quelque chose d'important à lui dire, c'était évident. Il repartait à la conquête de son siège de député. Il était déjà en campagne, il s'adressait non pas à Libert mais à un électeur, et déclinait les principaux thèmes de son programme. Je suis sûr que si la gauche l'emporte à la présidentielle, je vais récupérer ma circonscription perdue en 2007. Je vais mettre une déculottée à la droite. Comme en 1981, la vague rose va tout emporter. Tu te souviens de ce raz-de-marée ! Mais ce n'est pas gagné. Sarko remonte dans les sondages. Il a mis la barre à droite toute. Bref, je me suis quand même occupé de te trouver quelqu'un pour t'aider dans ta baraque. Il s'agit d'une jeune étudiante en philo. Elle a besoin de ce travail pour finir ses études. J'ai pensé que ça valait la peine de l'aider. Elle s'appelle Zanotti. Louise Zanotti. Qu'est-ce que tu en dis ?

Libert aurait préféré une femme d'expérience mais il donna son accord. Morain conclut en disant qu'elle

21

lui téléphonerait en fin de journée. En fait, c'est elle qui voulait travailler pour toi. Je crois qu'elle a lu tes bouquins. Elle pourra aussi t'aider à corriger celui que tu vas publier. Tu le sors bientôt, hein ? Il ne répondit pas. Il n'aimait pas qu'on lui pose des questions. Il était contrarié que cette jeune femme le connaisse comme écrivain. Sa curiosité la pousserait à l'interroger sur la part autobiographique de son œuvre. La corbeille à secrets ne devait pas être vidée.

Après avoir raccroché, il se leva, courbatu, ouvrit la fenêtre et poussa les volets. Le vent avait cessé de souffler. Un ciel de cendre filtrait la lumière du jour. Les arbres nus ressemblaient à des sentinelles de bois brûlé. Mais la secrète alchimie du printemps colorerait demain ce paysage de deuil. Les forsythias, en premier, donneraient de la magie au jardin monotone. Il eut envie d'aller voir ses rosiers qu'il cultivait avec passion.

3

Assis dans son fauteuil, en chaussettes, Libert dégustait un verre de vin. Il songeait à Laure. Avant qu'ils ne se rencontrent à Venise où ils avaient couché ensemble dès le premier soir dans l'appartement de ses futurs beaux-parents, Laure ne s'était jamais enivrée. Elle buvait un peu de vin, le soir, pas plus. Parfois du champagne, jamais d'alcool fort. Un an après leur mariage, elle prenait son premier whisky vers dix-huit heures, avec un glaçon en été. Il l'avait fait boire, boire jusqu'à la dépendance. Avec les tranquillisants, le cocktail devenait explosif. Ça l'excitait de la voir à sa merci. Son visage avait vieilli, d'un coup. On lui aurait donné dix ans de plus. Quand, la veille, elle avait refusé de faire l'amour, il usait toujours du même stratagème pour la pousser à boire : il lui demandait de préparer des pommes de terre à l'ail, son plat favori. Il apportait les patates, puis disparaissait dans son bureau. Elle restait seule à les éplucher. Devant elle, il y avait la bouteille de whisky qu'il avait pris soin d'ouvrir. Elle était incapable de résister plus de cinq minutes. Au deuxième verre, elle titubait déjà, les antidépresseurs décuplant les effets de l'alcool. Elle comprenait qu'il l'avait encore piégée, mais sa volonté ne répondait plus. La honte l'envahissait, elle pelait les pommes de terre, en s'appuyant contre le rebord de l'évier pour ne pas tomber, tout l'écœurait, elle se sentait sale et méprisable. Lui, il était dans son bureau, face à la mer, il écoutait du Vivaldi, elle reconnaissait le lancinant *Stabat Mater*, peut-être écrivait-il, un roman ou un discours politique, peut-être ne faisait-il rien, guettant le moment propice. Elle pleurait. Le goût du whisky mêlé à l'odeur de l'ail lui donnait la nausée. Pourtant elle lâchait son couteau et se servait un nouveau verre à ras bord. Souvent, à la fin du troisième verre, il sortait de sa tanière, descendait l'escalier et faisait irruption dans la cuisine. Les pommes de terre cuisaient à feu doux dans une large poêle. Il s'approchait d'elle, lui reprochait son haleine qui puait le whisky. Il l'injuriait, puis détachait sa ceinture, baissait son pantalon, l'obligeait à déboutonner son jean, en la traitant de pute névrosée, de bourgeoise de merde, il relevait son débardeur libérant ses seins bien ronds, les tapait pour faire durcir les pointes, la hissait sur la pierre à évier, baissait son jean jusqu'aux chevilles, des larmes coulaient sur les joues de Laure, il arrachait d'un coup sec sa culotte, la forçait à écarter les cuisses, et la pénétrait rageusement. Il jouissait très vite, puis se retirait, la laissant seule devant les patates à moitié rissolées, seule toute la soirée, avec la bouteille de whisky, les médicaments, le sperme coulant entre ses cuisses. Lui, il sortait la voiture du garage et allait au casino jouer le 8, son numéro fétiche. Elle ne bougeait pas, attendait que la volonté reprenne le contrôle de son corps. Elle se mettait deux doigts dans la bouche, se faisait vomir, jetait à la poubelle le repas préféré de son mari, rassemblait les quelques forces qui lui restaient pour monter l'escalier menant jusqu'à sa chambre de femme brisée. Elle gardait son jean et son débardeur fripés, ne se lavait pas, prenait sous les draps une position fœtale, se serrait contre elle-même pour moins trembler, elle souffrait dans son corps humilié, songeait à en finir, à prendre d'un coup les pilules dispersées sur la table de chevet, elle tombait enfin dans le sommeil en priant le ciel pour que son mari eût un accident sur la route de la falaise.

Il gagnait toujours ces soirs-là.

Je suis un fils de pute, dit Libert en reposant le verre vide.

4

La secrétaire du maire avait donné à Louise l'adresse et le numéro de portable de Libert. Elle pouvait l'appeler tout de suite. Il ne fallait pas commettre la moindre erreur. Il était imprévisible, paraît-il. Le maire le lui avait répété plusieurs fois durant l'entretien. Elle était nerveuse. Elle prit la tablette de chocolat posée sur la table basse, en cassa trois carrés qu'elle croqua d'un coup. Elle alluma une cigarette qu'elle écrasa aussitôt dans le cendrier rempli de mégots. Elle qui détestait perdre son temps à nettoyer son studio, elle se proposait d'entretenir la maison d'un atrabilaire. Elle jeta un regard circulaire : murs blancs, rayon de soleil, une reproduction d'un tableau de Picasso, *La Pisseuse*. Pourquoi l'avait-elle achetée ? Pour le triangle noir d'où s'écoulait un filet blanchâtre ? Pour un homme déjà oublié que cette image excitait quand il avait abusé de la dope ? Elle respira un grand coup et composa le numéro. Oui, j'écoute. Voix sourde, cassante. Ne pas bafouiller, répondre sur le même ton. Louise Zanotti, je vous… Pas le temps de finir sa phrase. J'attendais votre appel. Avez-vous l'adresse ? Parfait. Venez tout de suite. Connard, lança-t-elle en jetant son smartphone sur le lit. Il aurait pu au moins me demander si j'avais une voiture. Non, rien, venez tout de suite, c'est un ordre, taisez-vous, obéissez, Zanotti.

De rage, elle finit la tablette de chocolat.

Comment allait-elle s'habiller ? Décontractée ? Élégante ? En tout cas, sobre. Morain lui avait dit que son âge était un handicap. Elle devait donc se vieillir. Elle ouvrit le placard où elle rangeait ses vêtements. Elle avait de belles jambes, disaient ses amants. Elle opta pour une jupe assez courte, pas trop, noire de préférence. Elle choisit un chemisier en soie. Non, c'est trop chic, la soie. Elle jeta le chemisier sur la couette et déplia un col roulé. Elle se sentait bien dedans. Et il mettait sa poitrine en valeur. Elle le portait parfois sans rien dessous, pour plaire à des hommes dont elle ignorait le nom. Elle choisit encore des collants opaques, une paire de chaussures à talons carrés, une veste de laine grise et le manteau rouge qu'elle avait acheté à Paris, en décembre. Elle se regarda dans le miroir ovale de la salle de bains. Son teint pâle l'effraya. Elle décida de renforcer son maquillage, d'habitude très léger.

Grâce au GPS de son smartphone, l'itinéraire ne lui posa aucun problème ; elle gara en épi sa petite Citroën dont les amortisseurs avaient souffert sur la route déformée. Elle s'interrogea sur la présence de cette chaîne qui bloquait le chemin.

Une bise aigre lui cinglait le visage mais son manteau la préservait du froid. Une lumière blafarde rendait le décor sinistre. Des arbres biscornus semblaient agiter leurs branches effilées comme le font les fous avec leurs bras. Elles poussaient presque à l'horizontale tant les vents d'hiver soufflaient fort. De gros nuages gris glissaient dans le ciel en fusion. Elle s'arrêta, la maison était au bout du chemin pentu avec, en toile de fond, le néant aux reflets violets. Deux fenêtres étaient éclairées. On eût dit deux yeux la fixant. Elle courut jusqu'à la grille d'entrée, essaya de l'ouvrir sans succès. Elle voulut presser sur le bouton de la sonnette mais celui-ci avait disparu. Elle cria : Monsieur Libert ! Monsieur Libert ! C'est moi, Louise. Une boule noire surgit des ronces. Elle sursauta. Monsieur Libert ! Je suis là. Sur le perron apparut une silhouette filiforme. C'est ouvert, mademoiselle, poussez fort. Elle appuya de toutes ses forces sur la poignée qui finit par céder et avança vers la silhouette immobile. Ses talons s'enfonçaient dans le sol humide de l'allée. Elle monta les marches et se présenta devant lui, essoufflée. Excusez-moi, dit-elle, j'ai été effrayée par un petit animal. Il ne répondit pas, l'invitant à le suivre d'un geste de la main. Elle ôta son manteau et entra dans la pièce principale. Une bûche rougeoyante se consumait dans l'âtre. Elle remarqua au fond de la pièce une cage à oiseaux contenant des livres jetés en vrac. Plus tard, elle découvrirait que c'étaient des premiers romans dédicacés envoyés au vieil écrivain. Elle n'appréciait guère les intérieurs rustiques, un peu surannés, d'où s'exhale une odeur de renfermé. Sur une table basse étaient posées deux flûtes à champagne. Il la pria de s'asseoir. Elle l'avait imaginé moins grand, moins élégant, moins séduisant surtout. Son visage n'était pas sévère. Son regard ressemblait à celui d'un enfant espiègle. Une force rassurante émanait de toute sa personne. Elle resta vigilante. Il lui demanda d'une voix calme et suave qui accrut son trouble : «Voulez-vous un peu de champagne ? Volontiers», répondit-elle. Elle baissa les yeux et aperçut un peu de terre sur ses talons. Ses joues s'empourprèrent. Il lui tendit une flûte, se dirigea vers la cheminée, remit une bûche et demanda, sans la regarder : «La bouteille se trouvait à la cave. Est-il assez frais ? Oui», confirma-t-elle. Il revint vers elle, but à son tour une gorgée de vin et hocha la tête. Une fine mèche blanche tomba sur son front ridé. «Non, il ne l'est pas. Mais qu'importe. Réglons les contingences. Combien de fois par semaine pouvez-vous venir? Mis à part le jeudi et le vendredi, je suis libre. Que faites-vous ces jours-là? J'étudie la philosophie en Sorbonne.»

Il avait apprécié le «en» Sorbonne. Il finit son champagne. Il passait sans cesse la main dans ses cheveux pour tenter de faire tenir sa mèche rebelle. Je vais chercher un seau à glace, dit-il, irrité. Ce champagne est infect.

Elle regardait les flammes ronger les bûches. Dans un angle de la salle à manger, posé sur le parquet, elle remarqua un vase avec des fleurs séchées. Elle détestait tant ce genre de bouquet que l'idée de le jeter dans la cheminée lui vint à l'esprit. En une minute à peine, il aurait disparu dans un embrasement joyeux. Enfant déjà, le feu la fascinait. Plus précisément, la destruction par le feu.

Il réapparut avec un seau ruisselant de gouttes argentées. Elle osa lui demander si son état de santé était sérieux. Morain lui avait dit qu'il avait des problèmes cardiaques. Il marqua une hésitation. Il détestait parler de lui. Il préférait poser les questions, guetter les réactions de son interlocuteur, épier les gestes involontaires, analyser son attitude, se forger rapidement une opinion. Cependant, comme elle avait à nouveau rougi en le questionnant, il eut envie de répondre.

– D'après mon médecin, je ne devrais plus rien faire. Le fauteuil, un peu de lecture, la télé, une brève promenade quand il n'y a pas de vent, c'est tout. Un final lamentable, quoi. Alors je continue à boire, fumer, voyager. Je provoque la mort. Mais finissons-en avec l'intendance. Je voudrais que vous veniez, disons... trois fois par semaine. En fin de journée.

– Cela me convient. Je pourrai travailler le matin chez moi. Devrai-je aussi passer le dimanche ?

– Oui, répondit-il d'un ton sec.

Il se leva, alluma une cigarette et regarda l'heure à la pendule. Louise admit que le mouvement régulier du balancier et le feu dans la cheminée donnaient à la pièce un charme désuet. Elle se serait crue dans un conte de Maupassant. Les racines invisibles de cette maison ne se faufilaient-elles pas dans le sous-sol des falaises du pays de Caux ? Il lui proposa un salaire tout à fait correct. Il précisa qu'il lui rembourserait également le prix de l'essence.

– Je souhaiterais aussi que vous fassiez quelques courses, que vous m'achetiez des produits frais, du poisson par exemple. Vous aimez le poisson ? »

Elle répondit oui, tandis qu'il soufflait la fumée de sa cigarette en se dirigeant vers la fenêtre. Il voulait voir fleurir son jardin, les rosiers surtout. Après ma mort, ajouta-t-il, il n'y aura plus personne pour en prendre soin. Elle lui demanda : Vous n'avez pas d'enfants ? À votre place, répondit-il tout en regardant derrière la vitre, j'aurais d'abord demandé si j'avais une femme. Mais comme vous me connaissez un peu, vous ne perdez pas de temps. Je ne crois pas avoir d'enfant. Mais on ne peut pas être tout à fait sûr ! En tout cas, elle ou il n'a pas cherché à se manifester. Qui voudrait d'un père comme moi... Je suis un peu fatigué. Je vous montrerai la maison la prochaine fois. De toute façon, il n'y a qu'un seul endroit qui requiert de l'attention, c'est mon bureau.

Une grande lassitude avait bouleversé son visage. C'est à cet instant qu'elle réalisa que cet homme allait bientôt mourir. Il lui apporta son manteau. Elle le salua. Il lui recommanda de regarder où elle mettait les pieds, le chemin était plein de trous.

*

Elle ouvrit la portière, s'assit au volant et mit le moteur en marche. Elle poussa la manette de la ventilation. Un souffle froid envahit l'habitacle. Elle fulminait contre sa gaucherie et sa lenteur d'esprit. Elle n'avait su que rougir, se taire ou, pire, acquiescer. Libert aurait pu la congédier sur le champ. Bien sûr qu'elle connaissait l'existence de sa femme, bien sûr qu'elle savait son prénom, Laure, bien sûr qu'elle était au courant des déchirements qu'avait connus ce couple infernal. Personne n'ignorait qui était Jacques Libert.

Elle appuya sur l'accélérateur, le moteur hurla, mais la voiture ne bougea pas. Elle avait oublié de passer la vitesse. Derrière le pare-brise, elle devinait la maison du vieil écrivain Elle se demandait ce qu'il pouvait faire à présent. Il pensait à elle, évidemment. Il devait se dire que cette petite intello n'était vraiment pas armée pour affronter la vie.

5

Étendu sur son lit, il ne dormait pas. La fenêtre était entrouverte. L'odeur de l'iode venue du large pénétrait dans la chambre. Son corps ne souffrait plus. La nuit serait tranquille, il le savait, son cœur battrait de façon régulière, sans faiblesse. Son corps, en fait, ne l'avait jamais trahi. Quand un dysfonctionnement apparaissait, la douleur le prévenait. Son esprit, en revanche, ne l'avait pas empêché de commettre des actes détestables. Il l'avait laissé dériver jusqu'à cette maison et finir seul dans cette chambre. Il se redressa, alluma la lampe et mit ses lunettes avant de prendre le livre III des *Essais*. Il s'installa confortablement, l'oreiller calé derrière la tête bien droite pour ne pas suffoquer, il tourna plusieurs pages, puis commença sa lecture. Il s'arrêta sur cette citation latine : « *Vita commentario mortis est...* » Il en comprenait le sens mais il était incapable de la traduire littéralement.

Les années de lycée étaient si lointaines. La classe de terminale, à Paris, le nom oublié du professeur de philo, les colles le dimanche, la mine étriquée des meilleurs éléments, les mesquineries du surveillant, le buste de Rollin, maculé de fientes, trônant dans la cour principale. Voilà, c'était tout. Sauf, bien sûr, la joie des copains bacheliers, contrastant avec sa peine à lui de ne pouvoir annoncer la bonne nouvelle à son père, mort deux mois auparavant. Et le bonheur de sa mère, cette femme petite, dure, apprêtée comme une poupée, tout heureuse de voir son unique enfant enfin reconnu comme un brillant sujet. Il haïssait cette femme incapable d'avoir un seul geste tendre. Des gifles, des brimades, des humiliations, oui. Pour être le meilleur.

Il reposa le livre, ôta ses lunettes et songea à Louise. Peut-être pourrait-elle traduire cette citation. N'était-elle pas étudiante en philosophie ? Il se tourna et éteignit la lampe. Dans les villes, une lueur, si faible soit-elle, évite la nuit totale. Pas ici. Aussi put-il revoir Louise sans avoir à fermer les yeux. Elle avait quelque chose dans son maintien qui lui plaisait. Elle avait le dos droit. Il aimait les femmes au dos droit. Pas raide, non, droit. Ses cheveux bruns, coupés court, sa peau mate et ses yeux verts, qui n'étaient pas franchement verts, lui donnaient un charme troublant. L'expression de son visage était grave en revanche et ne correspondait pas à son âge. Avait-elle eu une enfance perturbée ? Avait-elle quitté prématurément sa famille ? Avait-elle seulement une famille ? Ces questions le tenaient éveillé. Il décida de quitter son lit. Il descendit à la cuisine boire un verre d'eau. La sirène du phare trouait la nuit ouatée. Le robinet gouttait dans l'évier, des assiettes attendaient d'être lavées. Le carrelage sur lequel il posait les pieds était aussi froid que la banquise. Tout ce décor exhalait le cafard. Mais il s'y était habitué. Ce sont les habitudes qui aident les vieillards à mourir. Il but son verre d'eau, remonta l'escalier en se tenant à la rampe, poussa la porte de son bureau. Il s'assit devant la table. Il y a quelques années, quand il ne parvenait pas à dormir, il travaillait ici pendant des heures. L'été, il ouvrait la fenêtre et les parfums de la nuit l'aidaient à trouver l'inspiration. Il écoutait du Vivaldi. Quand il travaillait, il n'écoutait que lui. Il ne fallait pas le déranger. La porte n'était jamais fermée à clé mais Laure ne se serait pas permis d'entrer. Quand des amis ou des membres de la famille venaient les voir, elle disait qu'il était sorti. Ils savaient qu'elle mentait, mais comme les colères de son mari étaient légendaires, on le laissait seul au premier étage, en plaignant Laure.

Les cahiers d'écolier, le stylo-plume et même les crayons à papier ne lui servaient plus à rien depuis qu'il s'était acheté un ordinateur. Il avait longtemps hésité. Et puis quand le président lui avait demandé d'écrire certains de ses discours, notamment ceux sur l'Europe, il avait sauté le pas. Il écrivait très vite avec un ordinateur. En même temps qu'elles naissaient dans son cerveau, les idées prenaient vie sur l'écran.

Il prit le stylo-plume entre ses doigts. Son pouce le caressait comme s'il se fût agi du corps de Laure. Depuis combien de temps n'était-il pas allé rendre visite à sa femme ? Il se souvint des géraniums qu'elle arrosait et nettoyait pendant qu'il se promenait dans le jardin. Quand il revenait, il trouvait parfois un petit mot écrit sur son bureau. Je n'ai pas lu, mais je sais que c'est bon. Un jour, il avait essuyé une goutte d'eau qui avait taché son cahier. Il était descendu à toute allure dans le salon et avait giflé Laure si fort que sa lèvre supérieure s'était mise à saigner. Pour se venger, elle avait renversé de l'huile de vidange sur les géraniums. Si elle avait saccagé ses rosiers, il l'aurait étranglée.

Le silence et l'espace se mélangeaient étrangement. Il reposa le stylo-plume. Le président, jusqu'à sa mort, avait écrit avec un Waterman, encre bleue, écriture ronde, finalement brisée par la douleur. Il chercha un paquet de cigarettes dans le tiroir du bureau. Il en alluma une. La fumée s'élevait lentement au-dessus de lui. Il avait froid dans son pull-over. À quelques kilomètres de là, d'énormes pétroliers se croisaient dans le brouillard. Lui, il ne bougeait pas. Il entendit à nouveau la corne de brume. Il aurait voulu que l'aube ne se levât pas, que la nuit demeurât pour toujours de ce côté de la Terre. Un peu de cendre tomba sur le pull. Il écrasa son mégot dans le cendrier. Il pensa à Louise. Elle devait dormir profondément. Dans quelques heures, il l'appellerait pour lui demander d'acheter des géraniums. Cette idée de planter des géraniums, alors qu'on sait qu'on ne les verra jamais fleurir, était ridicule.

6

Recroquevillée dans son blouson aviateur, Louise prenait un chocolat chaud au Café des Tribunaux. Dans la grande salle lambrissée de bois foncé, elle préparait son examen sur Giordano Bruno, et plus précisément sur ce qui fonde la philosophie : le platonisme revu par l'école d'Alexandrie. Elle n'arrivait pas à se concentrer. Elle pensait à Libert. Elle ne pensait qu'à lui depuis qu'elle l'avait vu. Elle voulait mettre à nu cet écrivain célèbre, sans Goncourt, sans Légion d'honneur, sans femme.

Elle prit son bloc-notes, son livre et ses stylos, les rangea dans sa serviette, posa un billet de cinq euros sur la table pour le chocolat et sortit. Elle tourna tout de suite à gauche, puis à droite, encore à gauche, comme si elle voulait échapper à la police. Au bout de quelques minutes, elle s'arrêta et jeta un coup d'œil par-dessus son épaule. Elle devenait folle. Elle vivait un délire paranoïaque dans les rues de Dieppe. Son estomac était noué, elle passait la main dans ses cheveux, machinalement. Un flic ou un détective privé la suivait, elle n'en démordait pas. Libert la faisait suivre. Il avait téléphoné à l'un de ses anciens amis, peut-être le ministre de l'Intérieur, enfin un type qui pouvait mettre en place une filature en quelques heures. Il avait gardé des contacts partout, il restait puissant. Même dans sa vieille bicoque toute branlante, il contrôlait tout. Il savait trop de choses sur tout le monde. Il possédait des dossiers, des fichiers, des clés USB à codes complexes. Elle avait même lu, dans un livre qui n'avait fait l'objet d'aucun procès à sa parution, qu'il aurait été un agent secret ayant pour mission de déstabiliser certaines personnalités communistes. Elle savait que le président détestait les communistes, bien plus que les gaullistes. Elle savait ça, confusément.

Une attirance animale la guida vers la mer. Le vent du nord ridait la surface des flots. Les embruns rafraîchissaient ses joues brûlantes. Elle avait besoin de courir le long des vagues, de les entendre se briser contre la digue en béton, elle voulait voir les mouettes voler dans la poussière d'écume, elle voulait trébucher et se rattraper. Elle ne savait plus ce qu'elle voulait. Elle courait, elle courait, les cheveux en désordre, la gorge serrée, les pieds endoloris, elle courait haletante, sa serviette était trop lourde, ses oreilles lui faisaient mal, son jean l'empêchait de courir plus vite encore, elle courait, elle courait, mais sa mémoire tenait bon, pas de défaillance, il était là, face à elle, inscrit dans le ciel, la mer, la craie des falaises, en surimpression partout, elle ne pouvait l'oublier, sa mémoire résistait, il était là, indissoluble.

Arrivée au bout de la plage de galets, le sable lisse, enfin, elle s'est assise sur un rocher recouvert de varech ; elle se trouvait au pied de l'immense falaise. Des veines de boue ocreuse sillonnaient l'impressionnante paroi. À tout moment, un bloc d'argile pouvait se détacher et la tuer. Elle ne bougeait pas. Sa poitrine était douloureuse, le fond de sa gorge la piquait. Elle toussa plusieurs fois. Un œil bleu se forma dans le ciel et un rayon de soleil illumina le paysage. La lumière radieuse transforma les couleurs, le gris de l'hiver disparut, la saleté fut gommée, le vert de la Manche dominait.

Louise regardait l'horizon. Un ferry voguait vers l'Angleterre. Voilà ce que je devrais faire, se dit-elle, changer de décor, et tout irait mieux. L'humidité du rocher pénétrait son pantalon. Elle se leva. Le bleu gagnait du terrain sur le gris, la mer montait, la marée allait libérer le ciel de ses nuages, le soleil brillerait jusqu'à cinq heures. Un dernier regard vers l'ouest. Quelque part, là-bas, dans le poudroiement des embruns, une maison à l'extrême bord de la falaise l'attendait.

7

En entrant dans son studio, elle remarqua qu'elle était partie sans prendre son portable. Elle avait deux messages. Morain, tout d'abord. Il voulait qu'elle le rappelle après dix-sept heures. Libert, ensuite. Il lui demandait d'acheter cinq ou six plants de géraniums, de couleur rouge, et lui fixait rendez-vous pour le lendemain en fin de journée. Elle avait pourtant oublié de lui donner son numéro de portable. Or il le connaissait. Il connaissait tout d'elle. Non, elle n'était pas paranoïaque.

Louise ôta ses boots et son blouson, et s'allongea sur le canapé. Ses cheveux poisseux avaient conservé l'odeur de l'iode. Ses muscles étaient contractés. Elle rêvait d'un bain bien chaud, avec de la mousse légère et des boules de coco pour en parfumer l'eau. Elle se releva, se déshabilla devant le miroir, elle avait maigri, sa taille et ses attaches s'affinaient de plus en plus. Bientôt, j'aurai le corps d'une libellule, se dit-elle. Elle passa un peignoir et libéra l'eau des robinets. Elle attendit plusieurs minutes avant de se glisser lentement dans la baignoire. Détente. Elle tapota la surface de l'eau. Clapotis... Ondes... Chaleur... Elle s'imaginait dans le ventre de sa mère, protégée par le liquide amniotique. Pas de tourments, pas de haine, pas de cruauté, aucune agression possible, des mains généreuses veillent sur toi, reste là, recroquevillée, ne sors pas, pas encore, bouge un peu si tu veux, mais ne provoque pas ton expulsion, dehors, ils t'ont déjà choisi un prénom, ils vont te laver, te sourire, t'embrasser, ils vont s'occuper de toi, mais ça ne durera pas, crois-moi, ça ne durera pas, d'ailleurs tu ne seras pas dupe, la lumière, l'espace, le temps, les visages attendris penchés sur ta minuscule tête fripée, tu les accueilleras en hurlant d'effroi.

Elle sortit du bain, se frotta vigoureusement le corps, enfila son peignoir, et mit un CD de Daft Punk. Dehors, un pâle soleil s'accrochait au jour. Elle aurait préféré une pluie serrée, interminable, une de celles qui foncent les murs de béton et les rendent plus laids encore. Elle se détestait.

Elle baissa soudain le volume de la chaîne et composa le numéro de la mairie. Elle devait se reprendre en mains. La secrétaire de Morain lui demanda de patienter quelques instants. Une musique répétitive l'agaça. Son peignoir venait de s'ouvrir et découvrait son sexe rasé. Le maire lui demanda comment elle avait trouvé Libert. Un peu fatigué, répondit-elle spontanément. Je parle de sa personnalité, grommela Morain. Plutôt distant ou agréable ? Louise avait du mal à répondre à cette question. Il était l'un et l'autre, alternativement. Le maire rit aux éclats. C'est un drôle de type, je le connais depuis 1973. Il était déjà l'un des conseillers du président. Il ne pouvait pas nous sentir, nous, les communistes. Car j'étais communiste, à l'époque. Et lui, c'était un réac de première. Il avait dit que le Programme commun de la gauche ne servait qu'à affaiblir, voire détruire le PCF. Ils nous traitaient de menteurs, de collabos, d'antisémites, qu'on n'était pas le parti des 75 000 fusillés, il ressortait la une de *L'Huma* où Thorez traitait Blum de Juif aux doigts crochus. Il n'hésitait pas à balancer des dossiers sur les principaux dirigeants du Parti. Je crois qu'il tenait ces renseignements d'anciens fonctionnaires de Vichy. Il recyclait. Mais il avait l'instinct des chasseurs. Il a misé sur le président après l'attentat rocambolesque de l'Observatoire. Un homme qui se sort d'une telle affaire, il m'avait dit, ne peut plus tomber. Et puis, il avait eu une conversation avec le président qui l'avait définitivement éclairé sur sa personnalité. Il vous en parlera peut-être. Vous voyez, ce n'est pas par la littérature que j'ai appris à connaître

Jacques. Mais je vous ennuie avec toutes ces histoires d'un autre temps. Louise répondit que non. Alors je vais vous faire une confidence, dit-il, je vois Libert demain. Je vais tenter de reprendre mon siège de député. Mais je veux qu'il me file un coup de main. Je vais devoir ratisser large. Libert sait écrire le discours qui ne déplaît à personne. Bon, j'ai un autre rendez-vous téléphonique. Je vous appelle demain. Et occupez-vous bien de lui. Il faut laisser du temps au temps. Mais pas là !

Louise était toujours sur le canapé, le peignoir à demi ouvert. Le soleil avait disparu. Elle vit une mouette qui donnait des coups de bec dans le bac à fleurs. Ce serait une bonne chose de lui acheter maintenant ses géraniums, pensa-t-elle. Elle regarda sa serviette posée à plat sur la moquette. Giordano Bruno attendrait.

8

Libert venait de se réveiller, le dos trempé de sueur. Il avait fait un cauchemar. Il était debout dans les toilettes, une violente douleur lui tenaillait les entrailles, il pissait du sang, la cuvette se teintait de rouge. Laure, derrière lui, le regardait crever. Elle lui lança en riant qu'il avait bu trop de mauvais vin, qu'il était ivre, et qu'il n'avait qu'à imaginer qu'il pissait jaune, comme tous les bien-portants. Elle lui dit que l'imagination l'avait plus d'une fois sauvée du suicide. Quand il l'avait enfermée dans la cave plusieurs heures durant, seule, sans lumière, parmi les rats et les araignées, toute tremblante, elle s'était inventé un décor de sable, d'océan, d'enfants fiers.

Sa vie ressemblait à un trou noir, elle y tombait chaque jour un peu plus. Elle en était arrivée à envier les gens qui pensaient avoir touché le fond. Car sa déchéance à elle semblait sans fin.

Le jeu pervers se poursuivrait. Elle serait la victime, son mari serait son bourreau. Il écrirait dans le bureau, au premier étage, il écouterait de la musique sacrée, il l'humilierait, elle picolerait, elle vomirait, pleurerait seule dans sa chambre, oui, seule, car elle avait pris la décision, après l'épisode de la cave, de ne plus coucher dans le lit conjugal et de faire de la chambre d'enfant (puisqu'il n'y aurait pas d'enfant) sa chambre à elle, rien qu'à elle, qui deviendrait au fil des années, son mouroir.

Libert décida de prendre une douche. L'eau n'enlèverait que l'odeur de transpiration, pas les insupportables souvenirs. En passant devant le miroir de la salle de bains, il vit un corps très vieux et très blanc, le sien. Sa poitrine ressemblait à celle, naissante, des filles nubiles. La peau de son ventre était flétrie. La chair de ses bras pendait sous les aisselles. Sans parler de ses jambes où couraient de grosses varices. Il regarda ses mains. Elles étaient fripées et comme piquées de points de rouille. Il pensa qu'il était temps d'en finir.

9

La Citroën C6 bleue aux vitres fumées se rangea le long de la chaîne qui bloquait le chemin menant à la maison de Libert. Trois pêcheurs, qui revenaient de la plage, des seaux de moules à la main, regardèrent l'homme ouvrir la portière arrière. L'un d'eux reconnut le maire de Dieppe et le salua, tout étonné de le rencontrer ici. Daniel Morain leur fit un geste amical de la main. Le dos de sa veste de costume était froissé. Il enfila son imper car il se mettait à pleuvoir. Il demanda au chauffeur s'il avait un parapluie. Ce dernier répondit non, un peu ennuyé. Le plus âgé des pêcheurs voulut s'assurer qu'il se présentait bien aux élections. Il mentit en lui affirmant que sa décision n'était pas encore prise. S'il lui avait dit la vérité, tout le monde aurait très vite su qu'il se lançait dans une nouvelle bagarre électorale. Or, iI voulait jouer sur l'effet de surprise.

Arrivé devant la maison, Morain fut frappé de sa vétusté. La mousse avait envahi la partie nord de la toiture. La peinture jaune était écaillée entre les pans de bois, les assauts du sel avaient éclaté le vernis des volets, le bois blanc de la terrasse avait viré au gris sale. Des broussailles s'étaient emparées de la clôture. Le grillage rouillé de la porte d'entrée ressemblait à un vieux chalut troué.

La fenêtre du premier étage, celle du bureau de Libert, était entrouverte. Elle donnait sur la Manche. La vue était imprenable puisque, désormais, la maison se trouvait à quelques dizaines de mètres du bord de la falaise.

Brusquement, la pluie redoubla. Morain commençait à être très mouillé. Il hurla le nom de son vieil ami. Un morceau de musique ample et puissante s'échappait du rez-de-chaussée. Le jardin bien entretenu tranchait avec la nature sauvage qui cernait la maison. Libert apparut sur le perron en robe de chambre, un parapluie à la main. Entre, c'est ouvert, cria-t-il à Morain. Il lui proposa d'ôter manteau et veste, et lui tendit sa robe de chambre. Il alluma une cigarette puis éclata de rire. Pourquoi tu rigoles ? C'est de me voir avec cette affreuse robe de chambre sur le dos ? Libert lui expliqua que la saucée qu'il venait de prendre lui rappelait la fameuse journée du sacre républicain du président au Panthéon. À la fin de la cérémonie, un orage avait éclaté. Le président, Roland Dumas, en costume clair – il avait passé la nuit en charmante compagnie et n'avait pas eu le temps de rentrer chez lui pour se changer –, et Libert s'étaient réfugiés dans la voiture conduite par le chauffeur personnel du nouveau président. Tous trois étaient trempés. Où allons-nous ? avait demandé Dumas. À l'Élysée, avait tout naturellement répondu le président. Il fallait voir la tête des huissiers quand nous sommes sortis de la voiture, avec nos cheveux mouillés, nos costumes à tordre, racontait Libert, tout en continuant de rire. On nous a apporté des serviettes, et nous nous sommes séchés dans le bureau présidentiel, torse nu et pantalons tire-bouchonnés ! Ça tranchait avec la cérémonie compassée du Panthéon ! Un photographe nous aurait pris ainsi, on était morts ! Je me souviens que le président avait même ôté sa cravate qu'il avait précieusement gardée, car c'était un cadeau de Violet Trefusis. Tiens, bois ce café, pour te réchauffer. Depuis que j'ai vu mon éditeur, je ne cesse de me souvenir de mes années passées avec le président.

Il prononça cette dernière phrase avec une légère émotion dans la voix.

Il te plaît mon café ? Morain acquiesça d'un signe de tête. En regardant les murs noircis par le chauffage et la cheminée, il se dit qu'il n'était pas revenu là depuis sept ou huit ans. À l'époque, Libert paraissait avoir soixante ans, sa silhouette de fauve impressionnait ceux qui le croisaient, sa vitalité épuisait son entourage, il n'était jamais pressé mais toujours en mouvement, son visage racé, où s'inscrivait l'histoire violente de sa vie, fascinait les femmes les plus sages. Ces souvenirs lointains attristèrent Morain. Il voyait à présent son ami Jacques avalé par le fauteuil de cuir, la tête enfoncée entre les épaules, les mains osseuses, les lèvres étrangement bleuies, le visage émacié. Mais c'étaient surtout ses yeux qui le troublaient. Ils semblaient flotter au fond de leur large orbite sombre, comme dévorés de l'intérieur.

Libert rompit le silence en l'interrogeant sur le motif de sa visite. Morain finit son café. Il hésitait à lui proposer une nouvelle collaboration. Il lui demanda comment il avait trouvé Louise. Son attitude irrita Libert qui ne comprenait pas pourquoi il tergiversait. Morain se leva et se dirigea vers la fenêtre. Je vais me présenter aux législatives, dit-il tout à trac. Le parti a donné son accord hier soir. Et je voudrais que tu m'aides à retrouver mon siège de député. Libert sourit, de ce sourire étrange qu'il avait emprunté, par mimétisme, au président. Retourne-toi et regarde le jardin endormi, mon cher Daniel. De secrètes germinations se préparent. Le tamaris a déjà son duvet vieux rose, la terre mouillée exhale des senteurs plus fortes, le soleil, quand il perce les nuages, tiédit le vent de la mer, le ciel n'a plus la fadeur de décembre. Tout vibre ici, je le sens, et mes rosiers vont avoir besoin de moi. Tu vois, ce que je reprochais au président, ce lyrisme insupportable à la Zola, voilà que j'y succombe. Tu m'emmerdes, Jacques, tu m'emmerdes », dit Morain.

Libert resta silencieux un instant. Puis il se lança dans une rapide synthèse. Sarkozy allait être battu… Il fait une campagne trop à droite! tonna Morain. Libert s'énerva. Si tu m'interromps, je me tais, et définitivement. Il retrouvait là son vieil ami, cassant, ne souffrant pas d'être stoppé dans ses analyses. Entre le président et lui, il devait y avoir eu de sacrées colères froides. Le président sortant sera battu car sa volonté est affaiblie. Il reprit alors l'argumentation qu'il ne cessait de se répéter depuis début mars. Ensuite, il affina son point de vue au risque de ne pas convaincre Morain, moins subtil que lui. Sarkozy avait, selon Libert, cassé l'image traditionnelle de l'homme d'État. Jusqu'à présent, on attendait du président de la République qu'il incarne avec grandeur et respect la fonction; on le voulait sachant lire et écrire, amoureux des arts, fin connaisseur. L'économie a dirigé le quinquennat de Sarkozy. Il ne se représente pas comme un homme politique mais comme un gestionnaire d'une crise qui le dépasse et qui fait d'irréversibles dégâts. Je ne dis pas que ses prédécesseurs n'ont pas été dans la même situation, je dis que Sarkozy a tombé le masque. Les Français savent tout ça, mais refusent de l'admettre. Ils sont en permanence dans le déni. Le verbe n'habitera plus les futurs présidents. Du reste, l'écrivain, dans l'ordre social, est mort.

Morain ne répondait rien. Il réfléchissait en se grattant la nuque. Je crois que tu seras élu sans moi, continua Libert. Les électeurs de la circonscription sont majoritairement de droite. Mais je suis de gauche ! s'écria Morain. Ton cœur est à gauche, et encore je n'en suis pas sûr, mais ton corps est celui d'un conservateur. Ta couperose, ton double menton, ta bedaine sont tes meilleurs atouts. Tu es jovial, rond, rassurant. Parfait. Le corps, Daniel, c'est tout ce qui compte. Tu es un salaud cynique, rétorqua Morain.

Ça, il y a longtemps qu'il le savait.

Mais le maire de Dieppe était un vrai politicien. Il avait toujours une carte à jouer. Il vint s'asseoir auprès de Libert et lui révéla le nom de la candidate UMP qu'il devrait affronter en juin. Il s'agissait de Marie-Anne, sa nièce par alliance. C'était plutôt une bonne nouvelle selon son ami. Mais j'ai contre moi la famille la plus connue et la plus riche du département, répondit Morain qui se redressa d'un coup sec en faisant trembler son ventre. Tu ne te rends pas compte. Le député sortant, c'était un modéré, une queue molle, mais là, avec une Boismoreau, ça va être la lutte des classes. Elle va me pilonner tous les jours ! Et comment se défendre ? Comment contre-attaquer ? Je n'ai jamais affronté une femme. On ne peut pas tout se permettre quand il s'agit d'une femme. Son nom n'est pas forcément un avantage, remarqua Libert. Cette élection doit se gagner au centre. Or sa famille va la pousser à radicaliser sa campagne, prenant exemple sur celle de Sarkozy. Et puis s'il perd, comme c'est à peu près sûr, elle sera dans la revanche, voire la haine. Plus elle cognera fort, plus ça la desservira. A-t-elle une personnalité propre, la petite Marie-Anne ?

La question plut à Morain. Elle trahissait un intérêt. Son vieil ami n'était pas resté de marbre en entendant le nom de Boismoreau. Rien n'était donc perdu, il pouvait encore le convaincre d'entrer dans la bataille. Marie-Anne avait la trentaine épanouie dans un tailleur bleu marine. Un mari notaire, trois enfants, dont deux au cours privé Henri IV. Le stéréotype de la bourgeoise de province, précisa Morain. C'est très bon, assura Libert. Très bon, crois-moi. On votera contre elle, donc pour toi. Je l'ai connue enfant, Marie-Anne. Elle est brune, avec de grands yeux noisette. Je me souviens encore d'un dîner que j'avais dynamité au manoir familial. On m'avait placé auprès de sa mère, Charlotte. Elle s'était lancée dans une diatribe contre les écrivains «pédérastes». Je n'avais pas entendu ce terme depuis belle lurette!

À l'époque, je ne buvais plus de vin, seulement du whisky. Je commençais à en prendre à l'apéritif et je continuais tout au long du repas. Je devais être un peu ivre quand je lui ai récité, au creux de l'oreille, un poème érotique de Verlaine. Je ne le connais plus par cœur, mais ça débutait ainsi :

> *«Je suis foutu. Tu m'as vaincu.*
> *Je n'aime plus que ton gros cul*
> *Tant baisé, léché, reniflé.*
> *Et que ton cher con tant branlé…»*

Si tu avais vu sa tête, Daniel! Elle s'est levée, m'a traité de pornographe, je lui ai mis la main sous sa jupe, elle m'a giflé. Quel scandale! Son mari était au bord de l'apoplexie, le trouillard. Il a fallu que ce soit le vieux Boismoreau qui m'ordonne de sortir. Les autres, tous les autres, me craignaient trop. Quelle soirée!

Morain osa demander quelle avait été l'attitude de Laure. Libert soupira. Elle était ulcérée… Enfin, je ne sais plus. Peut-être était-elle heureuse que je scandalise sa sœur. En tout cas, elle est restée avec eux et n'a rien dit, me décevant une nouvelle fois. Devant son père, elle n'osait rien dire. C'était sa nature, faible, prompte au renoncement, une nature soumise à toutes les autorités, croyant aux vertus de l'ordre, aux sermons, aux bons sentiments, au bonheur même, enfin à toutes ces imbécillités qui font que l'être humain poursuit son chemin vers la mort scandaleuse, sans broncher. Je ne l'ai jamais autant méprisée que ce soir-là. Je suis parti seul, la bouteille de whisky à la main, seul et fier, comme toujours. En rentrant, j'ai brûlé les photos de notre mariage. Je m'étais trompé en l'épousant. L'erreur de ma vie.

Le maire, rompu aux situations délicates, n'insista pas. La révélation du nom de son adversaire avait touché Libert. Il devait à présent le laisser cogiter. Il lui annonça qu'il avait rendez-vous. Libert se leva, non sans peine, et le raccompagna jusqu'au perron. Une fois élu, tu devrais prendre Louise comme attachée parlementaire. Elle est intelligente. Morain l'approuva en levant le pouce. Puis il dévala les marches du perron, traversa l'allée en un éclair et disparut avant que Libert ait eu le temps de réaliser qu'il était de nouveau seul. Il descendit à son tour, plus lentement. La pluie avait cessé. Tout à coup, il songea à un petit cimetière en surplomb de la mer. La plupart des croix sont penchées. Il y a des coquelicots devant la porte de fer rouillé, et un saule pleureur pour gardien. Une ligne de peupliers barre l'ouest. C'est le plein été. Mais dans cette région jamais le soleil ne rend l'air brûlant. Les nuages passent toujours en courant dans le ciel pâle. La tombe de ses parents est au bout du cimetière, près du mur de pierres disjointes. Son père, ce Casanova du patronat, définitivement auprès de sa mère despotique. Enfant, il se réfugiait dans ce lieu où soufflait le vent des tempêtes, celui-là même qui serrait l'estomac du jeune Chateaubriand. Il guettait les lézards qu'il attrapait par la queue. Celle-ci se cassait et cela le réjouissait de voir s'enfuir le reptile mutilé. Il avait toujours été cruel. La sonnerie de son portable le tira de cette rêverie. Il ne bougea pas, son correspondant laisserait un message. Il décida d'examiner ses rosiers alignés le long du mur de la maison. Protégés du vent du nord, ils croissaient très vite. Libert, pour qui les jours étaient comptés, s'en réjouissait. Il remarqua que les feuilles du rosier « Reine des neiges » étaient recouvertes de duvet blanc et commençaient à se racornir. Il fallait les traiter contre l'oïdium, un champignon tenace. Puis il s'approcha des rosiers anglais trapus et épineux. Il les avait plantés dix ans plus tôt. Leurs fleurs de couleur orange parfumaient la brise légère du soir. Il avait l'habitude de travailler auprès d'eux quand son bureau était une fournaise, ce qui arrivait rarement. Ordinateur portable et whisky, cela suffisait. Il se dit que tout ce temps était passé trop vite.

*

Quand la voiture arriva dans la rue principale de Varengeville, Morain demanda au chauffeur de respecter la limitation de vitesse. La cocarde tricolore au milieu du tableau de bord interdisait tout écart. Il venait de téléphoner à Libert et était inquiet que ce dernier n'ait pas répondu. Il voulait avoir son avis sur le choix de l'affiche électorale. Il avait l'intention de se faire photographier sur le port de pêche, devant les anciens bâtiments de la conserverie Boismoreau, pour bien montrer aux électeurs que la période de domination financière de cette famille était révolue. L'usine désaffectée, les sept chalutiers désarmés, le plan social inadmissible… Le dégoût envahit Morain lorsqu'il songea à cette gabegie qui aurait pu être évitée si les Boismoreau, au lieu de jouer les boursicoteurs, avaient accepté d'investir les fonds nécessaires à la rénovation de leur entreprise. Ils avaient trahi leurs employés. Il était donc hors de question qu'ils s'emparent de la circonscription. Il rappela Libert qui décrocha au bout de la cinquième sonnerie. Il lui fit part de son projet. La réponse fusa : grotesque. C'était le meilleur moyen pour radicaliser cette campagne.» Et puis si les Boismoreau avaient des défauts, ils n'étaient pas des «boursicoteurs». Ils n'avaient pas vu venir le monde nouveau, voilà tout. Morain abrégea la conversation, énervé par le ton cassant de son interlocuteur.

*

À sa table de travail, Libert n'en revenait pas :
une Boismoreau cherchait à prendre la circonscription ! Le clan honni, celui contre lequel il avait
résisté durant tant d'années, celui qui avait fini par
convaincre Laure qu'il était un écrivain raté, ivrogne
et pervers, que l'alcool, les femmes faciles et la rou-
lette étaient ses seules compagnes ; il y avait surtout
le patriarche avec sa barbe blanche, toujours tiré à
quatre épingles, avec ses préjugés, qui ne lui avait
jamais pardonné d'être le conseiller d'un « socialo-
communiste », comme il tempêtait !

Il aurait dû agir comme avec l'entourage du président : ondoyer, peser ses mots, pratiquer l'implicite,
être le parfait disciple de ses professeurs jésuites. Mais
non, il avait décidé de ne rien lui céder. Rien. Il avait
été cynique, blessant, injuste. Il se vengeait sur lui. De
tout ce que la vie ne lui avait pas offert. De tout ce
qu'il avait raté. De son manque de reconnaissance.

Et Laure dans tout ce fatras psychologique ? Elle
fut la victime expiatoire.

Pour chasser l'amertume qui l'envahissait, il aurait
aimé se promener dans les bois alentour, à l'abri du
vent qu'il ne supportait plus. Mais les forces lui manquaient. Il écouta de la musique et commença une
longue rêverie en regardant la mer. Il mit un CD de

Dalida. Il se souvint du président qui ôtait ses petites chaussures pour danser sur une chanson de la belle Égyptienne. Il n'était pas très souple mais connaissait par cœur ses plus grands succès. Libert hésita à s'arrêter sur «Je suis malade» de Serge Lama que Dalida interprétait à merveille. Il aimait sa fêlure. Elle l'impressionnait par la douleur tenace qu'elle cachait avec élégance. L'inaccomplissement de ses amours. Les promesses non tenues. Les roses et les bleus, comme il lui avait dit dans sa maison de Montmartre, un dimanche soir, lors d'un dîner en compagnie du président qu'elle trouvait délicat, intelligent, très cultivé. Il lui écrivait souvent. C'est risqué d'écrire à une artiste quand on est marié, qu'on a un amour secret, une fille cachée, et surtout qu'on veut suivre le destin du général de Gaulle.

Après la cérémonie du Panthéon, il avait fallu espacer les visites. Les journalistes guettaient. Les voisins savaient. Ils balançaient des pierres enrobées de lettres d'insultes par-dessus la haute porte d'entrée de la maison montmartroise. La sécurité de l'Élysée donna l'ordre d'installer des réverbères pour éclairer la rue, car ils redoutaient un attentat contre le président quand il rendait visite à la chanteuse pour un souper en tête-à-tête. Très vite, après la victoire du 10 mai, l'artiste demeura seule avec ses fantômes. Jusqu'au suicide.

Libert choisit «À ma manière». Il fredonna quelques paroles. «Ma vie, ma vie, elle me raconte des histoires…», «Le soir où je m'en irai, finalement, je le ferai à ma manière…» Comme l'avait fait le président, et puis comme moi je le ferai, songeait Libert, en écoutant la voix de la belle amoureuse qui roulait les «r».

10

Elle se présenta sans les géraniums. Le fleuriste lui avait conseillé d'attendre encore un mois avant de les planter. Des gelées tardives étaient possibles, la nuit. Libert confirma. Sa femme avait l'habitude de planter les géraniums le 1er mai. Il avait simplement oublié ce détail. Elle ôta sa parka. Il lui proposa un café avant de se mettre au travail. Elle avait entendu la voix de Dalida, elle le lui dit. Elle ne l'imaginait pas écouter de la variété française, elle le lui dit également. J'ai quelques souvenirs avec cette femme, répondit-il, c'est tout. Des moments privilégiés où l'on se retrouvait entre gens qui s'appréciaient. Elle ne l'aurait pas cru si mélancolique. Puis il indiqua le placard où se trouvaient les produits d'entretien et lui demanda de nettoyer seulement les pièces du rez-de-chaussée. Sa chambre et son bureau attendraient. Louise portait un jean et un pull-over rouge qui soulignait le galbe de ses seins qu'elle avait assez volumineux. Elle était menue, mais bien proportionnée. Elle fit la vaisselle, la rangea, passa la serpillière sur le carrelage très gras de la cuisine. L'eau chaude ne suffisait pas à diluer la pellicule noirâtre qui le recouvrait, et il n'y avait plus de produit ammoniacal. Elle s'agenouilla pour mieux frotter le sol et tacha son pantalon. Ce travail l'écœurait. Elle aurait préféré entamer la conversation avec l'écrivain. Mais il fallait en passer par là. Alors elle frotta sa crasse. Une demi-heure après, les reins brisés, elle s'attaqua à la salle à manger. Les tapis n'avaient pas dû voir un aspirateur depuis des années. Ils étaient lourds, poussiéreux, impossibles à déplacer. Des cendres étaient répandues devant la cheminée. Lors de sa première visite, la maison ne lui avait pas paru si mal entretenue. La décoration des pièces était sobre, pour ne pas dire austère. Pas d'objets vraiment insolites. Des pots en étain, un joli vase en cristal, une boîte à cigares, un inventaire facile à faire, le tout assez désuet. Accrochés au mur, quelques tableaux de peintres que Louise ne connaissait pas. Une bibliothèque composée de livres d'Aragon, Drieu la Rochelle, Camus, *La Chute* en deux exemplaires, Sartre, Céline, Duras, en grand nombre, Flaubert, Musset avec *La Confession d'un enfant du siècle*, Stendhal, Montaigne, Rabelais, le *Dictionnaire philo-*

sophique de Voltaire, Diderot, Madame de La Fayette. Très classique, pensa-t-elle. Hemingway, perdu au milieu des Français. Des poètes également. Nerval, Baudelaire, Rimbaud, Verlaine, etc. Un nid de poètes de la fin du XIXᵉ siècle. Un manuscrit dépassait de l'étagère. Au dos, elle lut : *L'autre main branle,* de Pierre Guyotat. Elle explorait, chiffon à la main. Elle s'arrêta sur une photo de Libert avec le président. C'était à Venise. Le président souriait, il portait un costume clair. Libert avait des lunettes de soleil. Sa chevelure était sombre. Avant 81, ou après ? Elle ne pouvait répondre. Elle chercha en vain une photo de sa femme, ou de ses amis. Elle continua d'épousseter. Elle était persuadée que, du premier étage, il l'épiait. Elle entendait le parquet craquer.

Libert sortit de son bureau vers 19 heures. Louise récupérait, assise sur un coin du canapé. Il lui proposa d'abord un Viandox qu'elle refusa. C'est bon un Viandox, dit-il, ça nettoie. Un Americano « maison » alors ? Elle fit oui de la tête. Il alla le préparer dans la cuisine. Elle en profita pour ranger les ustensiles de ménage. Son travail était fini, elle avait la sensation qu'il avait duré toute la journée tant elle était fourbue. Jamais elle n'avait respiré autant de poussière, ses narines semblaient collées et le fond de sa gorge ne cessait de la gratter. Ses mains rougies prouvaient qu'elle avait vraiment récuré la maison. Libert revint avec une bouteille de bordeaux et un verre où flottait une rondelle d'orange.

«Cela doit vous changer des études, dit-il d'un ton amusé.» «Oui», soupira-t-elle.

Louise but une première gorgée afin de nettoyer sa bouche, puis une deuxième par plaisir. Première sensation agréable de la journée, murmura-t-elle. Libert se servit un grand verre de vin. Il lui révéla que sa cave abritait des grands crus qu'il s'empressait de déboucher avant l'effondrement de la falaise. «La maison est-elle menacée? Oui. Pourquoi ne partez-vous pas? Louise, pour aller où?»

C'était la première fois qu'il l'appelait par son prénom. Oui, pour aller où? répéta-t-il. Dans un service de gériatrie? À côtoyer des vieillards malodorants qui regardent la télévision toute la journée? Ou qui se branlent devant les infirmières, et crient le dimanche, parce que, le dimanche, la solitude est vraiment intolérable? Je préfère avoir le cul posé sur un bloc de craie prêt à se faire la malle une nuit de tempête. C'est bien plus excitant d'attendre ce grand badaboum.

Louise ne répondit pas à ses propos provocateurs. Il avait prononcé ces mots crus d'une voix suave et maîtrisée. Elle l'imaginait sans peine débiter les pires obscénités sur le même ton. Elle admit que cela avait quelque chose d'envoûtant. Libert reposa son verre vide sur la petite table rectangulaire qui le séparait de Louise. Les traits de son visage se détendaient, il paraissait plus jeune, la fatigue se dissipait au fur et à mesure que le bordeaux se mélangeait au sang. Ses yeux bleus irradiaient néanmoins une mélancolie sauvage. Quelque chose de froid et de désespéré émanait de lui, quelque chose de paradoxal aussi, comme une pointe de lucidité perverse aperçue dans le regard d'un ange. Il se leva et se dirigea vers la bibliothèque. Louise remarqua qu'il avait de longues jambes. Jeune, il devait être irrésistible.

Il l'invita à prendre les livres qu'elle souhaitait. Vous aimez Aragon ? demanda-t-il. Elle avait lu *Aurélien* en terminale. La première phrase est superbe. Elle s'en était souvenue immédiatement, sans avoir jamais cherché à l'apprendre. C'est la magie de certaines phrases, dit-il. Elles semblent touchées par la grâce. Elles naissent comme ça, sur la feuille. Elles s'imposent. Elles sont définitives. Puis il prit sur l'une des étagères *Gilles* de Drieu la Rochelle. Il lui apprit que Drieu et Aragon s'étaient fréquentés dans l'entre-deux-guerres. Derrière le personnage d'Aurélien se cache en partie Drieu et, réciproquement, derrière Gilles, il y a Aragon. Les écrivains n'inventent jamais totalement leurs personnages. Ils empruntent ici ou là, transforment, déforment, embellissent, enlaidissent aussi. Aragon est devenu communiste et a quitté Drieu. Ce dernier, par dépit, a choisi le fascisme.

Ce n'était pas un choix politique délibéré. C'était un acte de grand brûlé. Au moment de l'effondrement de l'Allemagne hitlérienne, plutôt que de fuir, il s'est suicidé. Dans *Le Feu follet*, son chef-d'œuvre, il écrit, je le cite de mémoire : «Avec ou sans drogue, tout être qui a une vraie sensibilité se tient à la limite de la mort et de la folie.» C'est un peu cette maison, laquelle se tient à la limite de la falaise, entre la folie et la mort. Il suffit d'inverser les mots. À cet instant précis, il pensa à quelque chose qu'il tut. Sa bouche formait une cicatrice sur son visage empreint de gravité.

Il revint vers elle, reprit un peu de bordeaux et continua à lui parler de ces deux auteurs qu'il semblait aimer. Elle l'écoutait, ne comprenait pas toujours ses allusions, mais elle savait que les paroles qu'il prononçait, elle les retiendrait sans effort, grâce à ces phrases simples et précises que savent utiliser les pédagogues.

Après avoir bu une gorgée de vin, il dit encore que l'acte d'écrire inhibait Drieu. La fameuse page blanche, reprit Louise. C'est plus complexe que ça, dit Libert. C'est comme l'acte sexuel, qui vous paralyse devant un corps qu'on désire ardemment. Cette situation génère une violence intolérable.»

Louise n'ajouta rien. Dans son verre vide, il ne restait que la rondelle d'orange flétrie par le vermouth. Il lui proposa un autre Americano. Il ne tenait pas à la voir partir. Elle hésita. La tête lui tournait un peu, elle souhaitait avoir les idées claires. Libert était un manipulateur. Il lui demanda si elle était attendue. Non, répondit-elle. Il l'invita à dîner dans un restaurant réputé de Dieppe. Il se sentait en pleine forme, même s'il ne l'était pas. Je devrais peut-être repasser chez moi pour me changer, dit-elle. Non, répondit-il. Si vous saviez dans quel état je suis entré pour la première fois à l'Élysée.

11

Derrière la vitre, la nuit ressemblait à une gigantesque marée noire. Des silhouettes voûtées glissaient sur le trottoir. Déambulation erratique, qui ne mène nulle part. Ombres sans visage, anonymes et solitaires. C'est une ville d'écume.

Libert décortiquait la pince de son tourteau. En entrant dans le restaurant, tout le personnel l'avait salué. À Dieppe, c'était un homme célèbre. Il avait quitté la vie parisienne pour profiter peut-être de cette notoriété qu'il n'aurait pas eue dans la capitale. Louise lui en fit la remarque. Non, rassurez-vous, répondit-il. Je me moque de tout ça. Je n'ai pas eu le Goncourt alors que j'aurais dû l'avoir. La polémique a été violente. Je dois dire que ça m'a plutôt servi. La preuve, j'ai vendu plus de livres que celui qui l'a reçu. Ce fut mon quart d'heure américain. On ne se souvient même plus de mon heureux rival. Il n'a plus rien fait ensuite. Tandis que moi, j'ai continué à publier. Le prochain, vous verrez, ne passera pas inaperçu. Et puis, dans l'ombre du président, j'ai eu quelques miettes de célébrité. Non, j'ai quitté Paris parce que je m'y ennuyais à mourir. C'est devenu une ville détestable. Je doute fort que je puisse voir le changement des saisons boulevard Saint-Germain. Ici, je retrouve les signes obscurs des espèces. Il faut jouer franc jeu avec la nature. S'interroger et manier les concepts sans cesse, comme vous le faites en philo, cela aurait desséché un cerveau comme le mien. Je n'ai pas éprouvé la moindre vibration à étudier Kant ou Hegel.

Louise répondit qu'elle n'avait trouvé aucun philosophe dans sa bibliothèque. Vous n'avez pas encore visité toutes les pièces, sourit-il. Camus doit être considéré comme un philosophe. Et pas uniquement pour élèves de terminale, comme le disait Sartre avec jalousie. Pourquoi avoir deux exemplaires de *La Chute* ? interrogea Louise. Libert répondit qu'il s'était inspiré de ce livre pour son dernier roman. La part de culpabilité l'avait intéressé. Il y avait son exemplaire de voyage, une collection de poche, annotée. Et l'autre qui ne quittait pas la bibliothèque. Je pensais qu'un des deux exemplaires ne vous appartenait pas, dit Louise. C'est possible, rétorqua Libert en la regardant droit dans les yeux.

Son regard bleu n'était pas vif, mais troublant.
Il lui apprit qu'il relisait Nietzsche régulièrement.
C'est un immense écrivain qu'il n'avait jamais considéré comme un philosophe. Ses livres se trouvaient dans son bureau, dans une bibliothèque fermée.
Le plateau de fruits de mer était presque vide. Il ne restait plus que les bigorneaux et quelques crevettes grises déposés sur un lit d'algues. Les débris de pinces et la carapace éclatée du crabe dégoûtaient Louise. Elle attendait avec impatience que le garçon vienne retirer ces reliefs baignant dans la mayonnaise mélangée à l'eau de cuisson. Libert s'essuya les doigts avec la petite serviette en papier. Elle fit de même bien qu'elle ne supportât pas leur fausse odeur de citron. Puis il demanda la carte des desserts. Elle évoqua François Mauriac. Cet écrivain catholique lui plaisait car il avait, dans une douleur permanente, caché son homosexualité. Elle aimait la blessure secrète du péché qui ne cicatrise jamais et tend le style à l'extrême. Libert fut surpris de cette fine analyse, prouvant une grande maturité. Vous êtes assez étonnante, Louise, vous cachez bien votre jeu. Vous nettoyez ma bicoque sans rien dire, vous acceptez mon invitation, vous me laissez parler et, tout à trac, vous me prouvez que vous êtes très cultivée. Il ne faut jamais sortir de l'ambiguïté, cependant… Car c'est toujours à son détriment, acheva-t-elle. Votre président citait

souvent cette phrase du cardinal de Retz. Je crois savoir qu'il appréciait Mauriac. Libert lui répondit que cette phrase convenait justement à Mauriac puisqu'il n'avait jamais révélé son attirance pour les garçons.

L'écrivain bordelais n'avait pas toujours été tendre avec le président. Il l'avait même surnommé «le Florentin», ce qui avait durablement agacé l'intéressé. Mais il ne l'avait jamais attaqué quand il avait plié le genou, et parfois les deux, surtout dans l'affaire de l'Observatoire, et je ne parle pas de la barrière qu'il a dû sauter – 1,10 mètre, avec ses 80 kg pour 1,72 mètre, si ma mémoire est bonne – pour se réfugier en pleine nuit dans les bosquets du jardin afin d'échapper à deux hommes armés! Sur son chemin, entre la brasserie Lipp, où il avait dîné, et son appartement de la rue Guynemer, il y avait pourtant le commissariat de la place Saint-Sulpice, un lieu plus indiqué quand on est pourchassé par des barbouzes qui veulent vous faire la peau! Bref, pour en revenir à Mauriac, le président le jalousait en tant qu'écrivain. Il aurait voulu avoir son talent pour louer sa Saintonge natale.

Louise fut assez surprise par sa réponse. Elle avait lu que Libert avait toujours été fidèle au président, qu'il n'avait jamais pratiqué le fameux droit d'inventaire et qu'il avait même été dur à l'égard de ceux qui l'avaient pratiqué. Là, elle le trouvait critique pour ne pas dire plus.

Le président, comme beaucoup d'entre nous, ajouta Libert, était attaché à son enfance. Elle donne la clé de notre vie. Et le président revenait sans cesse à ses origines terriennes : Jarnac, mais surtout Touvent et la Charente, ce fleuve dont il s'est longtemps demandé si ce n'était pas une rivière. Il a fallu que sa grand-mère maternelle l'emmène jusqu'à l'estuaire pour qu'il admette que c'était un fleuve. La Charente conduit naturellement à la mère, ajouta-t-il en insistant sur le «e». Et quand on évoque cette dernière, il convient de la nommer par son nom de jeune fille, Lorrain, entendez Lorraine, la région où tout se déclenche pour lui. L'évasion qui lui permet de débuter sa vraie vie d'homme libre et d'accomplir son destin part du camp de triage de Boulay, en Lorraine. Et je ne vous parle pas du congrès socialiste de Metz, en 1979, où il s'imposa face à Michel Rocard qu'il bouffa jusqu'à l'os.

Quand est morte la mère du président ? demanda Louise. En 1936, répondit-il sans hésiter. Il avait tout juste vingt ans. Elle était sévère et très pieuse. Il avait reçu une éducation conservatrice. Ça fabrique un surmoi inébranlable. C'est aussi l'année de ma naissance, ajouta-t-il.

Le garçon avait débarrassé la table. Libert commanda une crème brûlée ; Louise, un café liégeois. Elle avait envie d'en savoir plus. Pas sur le président, qui appartenait à l'Histoire, mais sur cet écrivain qui allait mourir et qui reprenait des couleurs chaque fois qu'il levait son verre. Elle décida de se lancer : Et vous, pourquoi ne m'avez-vous pas encore parlé de votre femme ? Libert releva légèrement le menton. En bougeant les jambes, il frôla la cheville de Louise.

Libert attendit que le garçon dépose les desserts sur la table. Vous savez, répondit-il, ce n'est pas très intéressant de parler d'une morte. Car ma femme, qui s'appelait Laure, est morte en 1990. Je ne doute pas un instant que vous ayez eu la curiosité de regarder ma fiche Wikipedia. Vous avez même dû consulter d'autres liens, des blogs d'écrivaillons, des fouille-merde qui aiment salir les aînés talentueux. Vous avez également lu que nous nous bagarrions sans cesse et qu'elle avait décidé de me quitter. Elle avait quinze ans de moins que moi. Elle avait envie de refaire sa vie, avant de la rater définitivement avec moi. Le sale type dans l'affaire, bien sûr, c'est moi. Ce que vous ne savez pas, c'est comment elle est morte. Personne ne le sait. Sauf moi. Et désormais mon éditeur. Ça alimente tous les fantasmes. On imagine le pire. On se dit que le conseiller du président a étouffé une vérité scandaleuse. Du reste, le conseiller spécial, secret – mettez l'adjectif que vous souhaitez – l'a payé très cher. Il a été écarté du pouvoir. Il n'a pas pu participer à l'aventure du traité de Maastricht, au référendum gagné d'un cheveu. Il n'était pas présent au débat qui opposa Philippe Seguin et le président, alors que celui-ci souffrait atrocement. Mais fort heureusement, il est resté son ami. Jusqu'au dernier jour. Voilà.

Il lui dit de manger sa glace avant qu'elle ne fonde. Il le lui dit avec une certaine douceur dans la voix. Cela n'a pas d'importance, répondit-elle, j'adore la glace fondue. Ainsi fait-elle moins mal aux dents. Le restaurant s'était maintenant vidé de ses clients. Il voulut prendre un digestif. Il commanda un cointreau et Louise accepta une Marie-Brizard. Il devait être plus de minuit. Le regard de Libert était franchement voilé. Laure prenait souvent de la Marie-Brizard, dit-il en la fixant étrangement. Je prenais de la glace, la mettais dans un torchon et frappais le tout énergiquement contre le rebord de l'évier. Mais j'évoque des souvenirs qui vous ennuient. Je ne parle que de moi, alors que je ne sais rien de vous. D'où venez-vous ?

Elle s'attendait à cette question à la fin de la soirée. Elle répondit qu'elle était née de parents italiens mais qu'elle avait vécu à Rouen, puis à Dieppe. Son père était grossiste en cigares. Il trafiquait avec Cuba. C'était un jouisseur, amoureux des femmes, sauf de la sienne. Il était mort dans un accident, après s'être endormi au volant de sa puissante voiture dont elle ignorait la marque. Elle n'avait pas dix ans. Sa mère était prof de français. Elle bénéficiait d'un mi-temps thérapeutique. Un cancer du sein diagnostiqué à l'orée de la soixantaine et qui résistait aux traitements. Elle ajouta qu'elle était une fille de «vieux». Le dîner allait s'achever. Louise n'en dirait pas plus. Elle considérait avoir assez bien résisté à Libert. Il fallait à présent se retirer sans le moindre faux pas.

Après avoir bu d'un trait son cointreau, il sortit deux billets de cent euros. Il les plaça dans la soucoupe que venait de lui apporter la patronne. Il la pria d'appeler un taxi. Louise le remercia pour le dîner. Venez demain, vers cinq heures, lui dit-il en se dirigeant lentement vers la sortie. Elle lui fit remarquer que le jeudi et le vendredi, elle suivait ses cours à Paris. Ils sortirent, Louise releva le col de son blouson. Il la prit par le bras et lui souffla : Travaillez dur. À l'heure du bilan, il n'y a que ça qui compte.

Le taxi l'attendait. Il ouvrit la portière et se laissa tomber sur la banquette arrière. Le chauffeur démarra. Louise regarda s'éloigner la voiture. Elle pensa qu'il ne manquait à Libert que le chapeau noir de son président. Puis elle rentra chez elle en pressant le pas car il faisait bigrement froid.

12

Libert était assis dans son lit, adossé à deux oreillers, la tête droite pour faciliter la respiration. Il venait de prendre de la Ventoline. Chaque fois que ses poumons se vidaient, son larynx sifflait étrangement. Il sentait monter la crise. Il tousserait, essaierait de cracher, suffoquerait, le médecin lui prodiguerait des soins en urgence et tout rentrerait dans l'ordre jusqu'au jour où le cœur finirait par ne plus battre.

Il avait l'impression d'avoir des confettis dans les poumons.

La fenêtre entrouverte laissait passer un peu d'air salin. Dans ces moments d'angoisse et d'extrême solitude, il pensait à Laure. Quelle aurait été son attitude si elle l'avait vu aussi affaibli ? Elle l'aurait soigné, veillé en silence, avec son dévouement habituel, sa générosité appréciée de tous. Elle aurait été incapable de lui lancer à la figure qu'il était temps qu'il claque, là, tout de suite.

Pauvre Laure. Au lieu de le quitter immédiatement, de sortir du jeu infernal, elle avait cru qu'il changerait ou, plus exactement, qu'il redeviendrait l'homme qu'elle avait rencontré à Venise, dans l'église San Trovaso, devant une toile du Tintoret, *La Tentation de saint Antoine*. Un homme amoureux, libertin, espiègle. Elle avait toujours secrètement espéré que les premières semaines dureraient toujours. Pauvre Laure. Elle avait aimé un homme qui n'avait cherché qu'à la détruire.

Libert reprit de la Ventoline et s'assura que son portable était chargé. La lampe de chevet était allumée. Ainsi n'était-il pas plongé dans l'obscurité obsédante. Sa respiration l'inquiétait. Il ne pouvait pas lire, guettant le moindre symptôme de défaillance. Dans une situation aussi tendue surgissaient des souvenirs toujours liés à Laure. Le silence de la chambre les rendait encore plus vivaces. Les images défilaient devant ses yeux grands ouverts. Le temps semblait les avoir décolorées, leurs contours étaient flous, les détails avaient été comme gommés ou recouverts d'une fine pellicule lumineuse. Il savait que la femme qu'il voyait était Laure mais les traits si fins de son visage avaient été totalement effacés. Il manquait en particulier son grain de beauté, à droite, juste au-dessus de la lèvre supérieure. Et puis son nez droit, à l'arête parfaite. Il distinguait seulement une figure ovale entourée de longs cheveux. Le décor de la scène, en revanche, était suffisamment net pour qu'il l'identifie. Il l'avait décrit dans le manuscrit qu'il venait de remettre à son éditeur. Il s'agissait de son jardin.

C'est l'été, la journée a été anormalement chaude. Laure porte sa robe de lin blanc à bretelles. Sa chevelure semble encore plus blonde. Un parfum de tilleul flotte ce soir-là dans l'air. Ils ont trop bu, Laure est ivre, elle se promène dans les allées, titubante, elle regarde, sans le voir, le crépuscule d'été.

Libert, lui, ne pense qu'à la baiser. Il veut pétrir ses fesses bien fermes. Il s'approche d'elle, l'embrasse dans le cou, et commence à caresser ses seins nus sous sa robe légère. Il la culbute sur le gazon, non loin du petit potager, puis s'effondre sur elle. Malgré le geste brutal, Laure semble prête à se laisser faire. Cela lui déplaît. Il aurait aimé qu'elle résistât. Alors il se relève et l'injurie. C'est une sale bourge, il n'en démord pas. Couché sur l'herbe, il attrape la bouteille de whisky et la fracasse contre les pierres du puits. Il continue de l'insulter, elle fond en larmes. Il déteste la voir pleurer. Se rendant compte qu'il vient de gâcher la soirée, il n'en devient que plus violent. Il faut qu'il la brutalise, à tout prix. Il sait qu'il se conduit comme une ordure, il en a conscience, mais une envie irrépressible l'oblige à commettre des actions plus abjectes encore. Il la prend par les poignets, demain elle aura des bleus, la traîne jusqu'au potager, elle pleure toujours, elle est incapable de réagir, sa volonté ayant été anesthésiée par l'alcool. Il l'oblige d'abord à ôter sa culotte, puis à se retourner, et à lui donner son cul. Elle s'appuie sur les coudes et les genoux, l'échine tendue, la tête dans les plants de pomme de terre. Elle ne ressemble plus à un être humain mais à un animal apeuré qu'on va torturer.

Elle ne ressemble plus à rien.

L'obscurité a envahi le jardin et ouvert l'espace. Des ombres agitent les feuillages, de la vapeur monte des profondeurs de la terre. Le vent de la nuit mouille déjà l'herbe fraîche. Il arrache une poignée d'orties qu'il utilise comme un fouet sur les fesses de Laure. Elle gémit et tente de se redresser, il lui interdit de bouger, elle se remet dans la position initiale, écartant malgré elle les jambes afin qu'il puisse atteindre le sexe et l'anus avec les orties. Très vite, ses zones érogènes s'enflamment sous la torture. Elle le supplie d'arrêter, il n'entend plus rien, son visage est déformé par la rage et le plaisir mêlés. Il a mal aux mains, des mains boursouflées, comme piquées par un essaim de guêpes, avec un point blanc au cœur de chaque piqûre, mais la jouissance l'emporte sur la douleur. Il transpire et halète, ses joues sont rouges, aussi rouges que les fesses de Laure qui serre les dents, le visage caché par ses longs cheveux blonds. L'épreuve s'arrête quand les branches d'orties sont devenues trop ramollies. Alors, il lui dit que c'est fini, qu'il l'a suffisamment punie, qu'il est satisfait. Il lui dit même qu'il est heureux. Il ne la pénètre pas, elle ne le mérite pas. Il part. Elle pleure. Il ne l'entend plus.

Libert, sur son lit, adossé à ses oreillers, sourit, le regard perdu dans la chambre. Cette scène le rendra antipathique. On le traiterait de grand malade. Si la gauche revenait au pouvoir dans quelques semaines, comme il le croyait, il ne serait pas invité à l'Élysée. Les femmes lui tomberaient dessus. Les hommes aussi, du reste. Il serait sûrement traité de salaud.

Dehors, le vent s'était mis à souffler en bourrasques. La fenêtre battait de plus en plus fort. Il se leva et la ferma en pestant. Mais il laissa les volets ouverts. Il aimait être réveillé par la lumière de l'aube.

Il passa dans le cabinet de toilette où il but un peu d'eau. Dans le miroir ovale, il remarqua ses lèvres cyanosées. À tout moment, il risquait d'étouffer. Étouffé par le remords, murmura-t-il. Son médecin lui avait suggéré d'avoir une bouteille d'oxygène à son domicile, chose qu'il avait jusque-là refusée.

Il détestait tout ce qui lui rappelait sa maladie. Il regagna son lit. Un quart d'heure de marche sur la plage ne l'aurait pas davantage essoufflé. Il devait se reposer et surtout ne plus bouger. Parfois, la maison vibrait sous les bourrasques. Les arbres du jardin ne cessaient de siffler et la cheminée semblait ululer. Au bout du palier, se trouvait la chambre de Laure où, de temps à autre, il s'allongeait sur la couverture de laine recouvrant le matelas. La grande armoire normande contenait la plupart de ses robes dont certaines étaient protégées par des housses de plastique. À droite, il y avait, dans un modeste cadre accroché au mur, une photographie d'elle prise après leur mariage. Blonde, bronzée, le regard irradiant une douceur sereine, les lèvres sensuelles. Le papier peint avait jauni, des taches d'humidité étaient apparues, la moquette exhalait le remugle. Si la maison n'avait pas été condamnée par les experts de la DDE, il aurait vidé entièrement cette pièce et, après l'avoir fait repeindre, l'aurait fermée à clé pour toujours. Il se contentait de l'aérer afin d'en chasser les odeurs, odeurs aussi tenaces que si le corps de Laure s'était décomposé ici.

Sa respiration redevenait régulière. Il éteignit la lumière. De nouveau l'obscurité. Encore une image. La mer, le vent d'ouest ébouriffant les cheveux de Laure, exquise dans sa robe d'été, partout la lumière du soleil qui ruisselle, deux éclats de ciel bleu dans ses yeux (cette couleur, il ne la voyait pas, il la devinait). Et puis une phrase d'elle, prononcée de sa voix légèrement rauque : On peut tout supporter par amour. Tu entends, Jacques, tout.

Cette phrase figurait dans son ultime roman.

13

Louise prenait un café à L'Écritoire, place de la Sorbonne. La matinée avait été épuisante. Levée dès 5 h 30, elle avait pris le train pour Paris afin de présenter son exposé sur Giordano Bruno. Mal préparé, son travail n'avait pas été à la hauteur du sujet. Son professeur, qui appréciait l'esprit sagace de Louise, avait été déçu. À la fin de son oral, il lui avait posé trois questions précises auxquelles elle n'avait su répondre. Verdict : 4/20.

À présent, elle essayait de se décontracter. La place de la Sorbonne était déserte. Quelques étudiants la traversaient en diagonale, marchant d'un pas rapide. Le vent était frais, le ciel sombre, les façades ternes. Un temps monotone, comme souvent à Paris, en mars.

Au début de l'été, le soir, elle s'installait à la terrasse de L'Écritoire. Elle commandait une glace au chocolat, avec beaucoup de chantilly, et écoutait les conversations des tables voisines. Parfois, elle lisait un livre. Elle aimait le parfum des tilleuls. C'est rare de sentir un parfum aussi agréable en plein Paris. Il lui arrivait de parler toute seule, à haute voix. Une sorte d'épilepsie cérébrale.

Louise venait de commander un autre café. Le garçon lui avait souri comme s'ils étaient amis. Or elle n'était l'amie de personne. Elle n'arrivait pas à faire le vide dans sa tête. Elle pensait à Libert. Ses études n'avaient plus d'importance. Elle était persuadée que le vieil écrivain ne l'avait pas crue quand elle avait dit que son père vendait des cigares en gros. Elle aurait pu choisir une profession plus banale. Mais non, c'était plus fort qu'elle, elle avait décidé d'inventer quelque chose d'énorme, et d'en rajouter avec Cuba et la contrebande. Pour un peu, elle était prête à dire qu'il avait été tué par la CIA. Mais Libert était un écrivain. Il aimait sûrement le romanesque. Et, lui aussi, il devait inventer.

Louise paya les deux cafés et sortit respirer l'air de la rue. Elle marcha dans le jardin du Luxembourg, entre les reines de France. Des nuages aux contours flous filtraient une douce lumière. Hélas, la tour Montparnasse écrasait ce havre de verdure. Elle descendit l'escalier menant au bassin où, les jours de beau temps, glissaient les voiliers miniatures des petits garçons. Elle traversa le jardin, emprunta l'allée principale bordée de marronniers. Elle sortit rue Auguste-Comte où elle louait une chambre de bonne. Au moment de faire le code de l'immeuble, un homme l'aborda. Il était grand, portait une parka verte avec une capuche à liseré de fourrure, de nombreuses rides profondes marquaient son visage. Elle recula. Pardonnez-moi, j'ai un service à vous demander, dit l'inconnu d'une voix nasillarde. Louise ne répondit pas. Des lycéens passaient sur le trottoir d'en face en riant aux éclats. Le type lui parla de son désir de rencontrer Jacques Libert. Louise écarquilla les yeux en entendant ce nom. Je suis journaliste, je fais une longue enquête sur lui. Je vous ai suivie depuis que vous avez été reçue dans sa maison de Varengeville. Ne m'interrompez pas s'il vous plaît. Il ne vous a pas flanquée dehors, il vous a même laissée revenir. Je ne sais pas encore qui vous êtes mais il est rare qu'il se laisse approcher comme ça. J'ai besoin de votre aide pour le rencontrer. Vous ne voulez pas aller au café du coin pour que je développe ? Sans réfléchir, Louise accepta. Elle trouvait que ce type, malgré ses dents de fumeur un peu jaunes et ses cheveux frisés comme des pâtes torsadées, était inoffensif. Et puis tout ce qui concernait Libert aiguisait sa curiosité.

Elle croyait qu'il était journaliste littéraire. Elle se trompait. Il écrivait des articles politiques. C'était le conseiller spécial qui l'intéressait. Pas le romancier. Il s'appelait Brunet. Martin Brunet. Il refuse toutes les interviews, dit-il. Il ne veut pas parler de sa vie auprès du président. Mais je sais qu'il va mal, que c'est peut-être le moment de lui tirer les vers du nez, à ce vieux renard. Naïvement, Louise demanda pourquoi il pensait qu'elle parviendrait à lui obtenir un rendez-vous. Mais il vous reçoit ! s'écria le journaliste. Il a confiance en vous. Vous devez sûrement relire les épreuves de son bouquin. Je sais qu'il va parler de sa vie privée. Mais je veux l'interroger sur le président. Vous le suivez depuis longtemps ? questionnat-elle. Je le trace depuis belle lurette, répondit-il. Mais il ne m'a pas vu. Il a perdu l'instinct. Ou alors il s'en fout. À une époque, il m'aurait tout de suite repéré. C'était un hyperméfiant. Il avait toujours un flingue sur lui. *Destination Magadan,* son roman sur la dénonciation du Goulag, lui a valu la haine des communistes, et donc du KGB. Mais son propre camp n'est pas tout rose non plus, si j'ose dire. Il savait trop de choses. Il avait des dossiers. Certains avaient peur qu'il ne parle, à commencer par le président luimême. Celui-là, même de son ombre, il se méfiait. Vous lui demanderez un jour de vous raconter l'histoire du Viandox… Allez, faites un effort pour moi. Trouvez le truc pour qu'il accepte l'entretien. Je ne lui parlerai pas de sa femme. Je m'en fous de savoir comment elle est morte. Je veux qu'il me parle du président.

Martin lui donna son numéro de portable, paya les boissons, puis disparut comme un chat affamé qui vient de repérer un oiseau tombé du nid.

*

Après avoir pris une douche, Louise prépara une omelette et s'assit sur le canapé-lit. Elle alluma la télévision. Elle avait besoin d'une présence sonore pour oublier quelques instants les propos du journaliste. Elle mit BFMTV. On voyait Sarkozy en campagne. Il serrait des mains, souriait sans envie. Il avait le visage creusé. Elle avala l'omelette en un rien de temps. Puis elle se leva et tira d'une bibliothèque pleine à craquer, *Destination Magadan*, dont le dos était tout ridé. Elle avait lu les sept cents pages en à peine trois jours. C'était il y a un peu plus de deux ans. Elle avait longtemps tourné autour, refusant de l'ouvrir.

Ce roman, paru en 1981, avait raté le Goncourt d'une voix.

Elle coupa le son de la télé. Sarkozy continuait de s'agiter et, privé de parole, ressemblait à un clown désespéré. Son corps fonctionnait de manière mécanique, sans la moindre aisance ni sensualité. Elle préféra feuilleter les pages du roman de Libert consacré au Goulag de Magadan, dans la région de la Kolyma, ouvrant sur la mer d'Okhotsk. Elle se souvenait du portrait du tortionnaire du camp, Édouard Berzine, agent zélé de Staline, descendant de sa Rolls, barbe givrée, chapka rivée au crâne, le corps emmitouflé dans un gigantesque manteau de fourrure, pour vérifier que l'or et l'uranium sortaient bien de la terre gelée. «Les ennemis du peuple», hommes, femmes, adolescents, extrayaient par – 30° degrés les précieux minerais. Ils ne pouvaient s'asseoir pour reprendre des forces car ils gelaient aussitôt. Même les crachats gelaient avant d'atteindre le sol. Elle se souvenait de tout ça, de ces détails monstrueux, comme la mort par suicide d'un des personnages principaux, Piotr Kotti. Il avait décidé d'écraser sa gorge contre le rebord des chiottes. «La désespérance avait eu raison du formidable instinct de survie», écrivait Libert, page 347, dans l'édition de poche, celle qu'elle feuilletait, lisant au hasard des passages soulignés au crayon de papier : «Anna Kononenko, malgré ses vingt ans, s'assit épuisée par le travail, le froid et la faim. Elle s'assit et ne se releva jamais. Elle avait gelé en quelques minutes, les mains posées sur ses maigres genoux.»

Elle décida de l'appeler. Elle était impulsive. Libert décrocha et lui donna son numéro de téléphone fixe. La conversation sera meilleure, dit-il, mais je ne parlerai pas longtemps, j'attends le coup de fil d'une journaliste qui doit venir faire l'unique interview que je donnerai pour mon roman. J'ai acheté sur Internet *Destination Magadan*, dit Louise. Elle cacha qu'elle l'avait déjà lu. Elle ne voulait pas qu'il sache qu'elle s'intéressait à lui avant leur rencontre. À combien? demanda-t-il. 7,80 euros, en poche, d'«occasion comme neuf», répondit-elle, sans se démonter. Mais elle ne s'attendait pas à une telle question de la part de l'écrivain. Ma cote reste stable, dit-il. Quand je serai mort, les ventes monteront. Mais pas celui-là. Tout le monde s'en fout du Goulag désormais. De la terreur qu'inspirait Staline avec son système monstrueux. Quand j'ai sorti ce roman fort documenté, en 1981, le président avait pris des ministres communistes au gouvernement pour mieux les affaiblir. Ses amis n'avaient pas apprécié que je publie ce livre à cette période. J'en ai pris plein la gueule. Les puissants réseaux à leurs bottes ont lancé une campagne de dénigrement extrêmement violente. Le président n'était pas mécontent de la publication de mon livre mais ils ont quand même lâché les chiens sur moi. Pour les décrisper, j'aurais dû leur raconter comment Staline avait reçu Gide au Kremlin, en 1936, avec trois ou quatre autres écrivains. Le sanguinaire Joseph, boulimique sexuel, a offert de sympathiques éphèbes au grand Gide, histoire de l'amadouer.

Ce dernier a probablement été ému par les jeunes Soviets, mais il a surtout pondu *Retour de l'URSS*, pamphlet anticommuniste qui a ulcéré les intellectuels français de gauche. Aragon s'est démené comme un beau diable pour faire interdire le brûlot. En vain.

Pour conclure sur ces considérations d'un vieux con, ils ont donné le Goncourt à Lucien Bodard, gaulliste de gauche, tendance baroudeur-opiomane, tombé dans l'oubli. Mais contre moi, tout était forcément génial.

Libert, avant de raccrocher, lui demanda comment s'était passé son exposé sur Giordano Bruno, preuve qu'il s'intéressait à elle. Une fois encore, elle mentit, en répondant qu'elle avait réussi. Avec lui, elle mentait toujours. Puis elle éteignit la télévision et se plongea dans la lecture âpre de *Destination Magadan*.

14

Libert classait sa correspondance. De gros paquets de pluie s'abattaient sur la Manche. Le vent d'ouest soufflait si fort que les mouettes restaient en suspension dans le ciel. La maison vacillait sur ses fragiles fondations. Il tomba sur une lettre de Laure qui n'était pas datée. Il reconnut son écriture fine et serrée ainsi que le petit dessin en guise de signature, une tête de chat toute ronde, avec deux traits horizontaux pour les yeux, surmontée de deux minuscules « v » à l'envers, pour les oreilles.

« Cela va te plaire d'apprendre que la folie me guette. Mais je crois que tu es encore plus fou que moi. Je t'entends la nuit, tu cries comme un possédé. Tu t'agites, tu renâcles. Tu es une bête brute. Tu dis des obscénités, tu es écœurant. Mais je n'arrive pas à t'en vouloir vraiment. Tu es sincèrement désespéré. Tu es malade, en fait. Tu

es malade depuis ce drame que tu n'es pas parvenu à surmonter. Tu es rongé par la culpabilité. Et tu ne peux plus jouir qu'en souffrant et en me faisant souffrir, moi, l'abominable épouse, celle par qui le malheur est arrivé. Tu veux me détruire alors que tu ne peux vivre sans moi. Que serait ta vie sans moi ?

Mais si la folie me guette, je crois que j'ai encore suffisamment de lucidité pour te quitter. Pas pour un autre homme ; pas pour changer de vie. Il est trop tard. J'ai cette phrase de Rimbaud en tête : "Comme je deviens vieille fille, à manquer du courage d'aimer la mort !" Tu dois la connaître, tu lis si souvent Rimbaud. Je la médite beaucoup. Tu m'as tant appris à détester la vie que j'ai fini par faire de la mort une compagne agréable. Et puis ne m'as-tu pas dit un jour, et quel jour, que j'étais une femme qui ne savait que transmettre la mort ?

Je suis faite pour l'aimer cette mort redoutée. Je manquais de courage, c'est tout. »

Libert replia le rectangle de papier jauni. Il se leva, mit *Madame Butterfly*. De l'opéra pour soulager la mémoire. Puis il s'effondra dans le vieux fauteuil de cuir noir. Il se souvenait parfaitement de cette lettre qui avait été écrite après une énième provocation de sa part. Elle était partie sans dire un mot, le visage fermé, blanche comme un linge. C'était une lettre de rupture. De rupture avec soi-même. Laure était montée dans un taxi qui l'avait arrachée à lui sans qu'il eût prononcé un mot. Jamais il ne l'aurait crue capable de partir.

Une cicatrice bleue dans le ciel annonçait le retour du soleil. Il écoutait la voix de Mirella Freni, l'émotion fragile qu'elle dégageait, la certitude obsédante qu'il n'y a pas d'amour heureux. Un jour qu'il se promenait dans les jardins du Luxembourg en compagnie du président, ce dernier, sans le regarder et tout en continuant à flâner d'un pas assuré, lui avait dit : Jacques, je voudrais que vous m'appreniez à comprendre la musique. Je vous envie. Sur ce point, oui, je vous envie.

Il pouvait être touchant comme un enfant. On imaginait sa mère battre dans son cœur à ce moment-là.

À chaque fois qu'il publiait un livre, Libert en envoyait un exemplaire dédicacé au président, lequel lui répondait toujours par écrit. En décembre 1995, alors qu'il avait quitté l'Élysée et que Libert n'était plus son conseiller depuis 1990, il l'avait remercié pour l'envoi dédicacé de son dernier ouvrage. On percevait un immense effort pour arriver à former à peu près correctement les lettres. La barre horizontale du « t » était tremblée. Il n'y avait plus ce trait net que dictait la volonté. Le président était au bord du vide.

*

Libert avait publié son premier livre en 1956. Le président était alors ministre de la Justice. Il considérait que l'Algérie, c'était la France. Or, Libert, réformé grâce à un dossier médical bidon fabriqué par un médecin dont la fille affolait son rythme cardiaque, militait contre la guerre en Algérie, qu'on appelait «maintien de l'ordre». En fait, il s'était présenté à l'hôpital Villemin, près du canal Saint-Martin, pour passer d'ultimes tests, et là, il était tombé sur le cousin du médecin à la fille au corps de rêve. Il avait eu une sacrée veine, car l'armée, à cette époque, prenait quasiment tout le monde. Il se lassa très vite de la fille mais resta fidèle à ses camarades partis se faire buter dans un conflit perdu d'avance.

Plus tard, alors conseiller du président, il aurait un jour une conversation houleuse avec lui au sujet de son action en tant que ministre de la Justice du gouvernement Guy Mollet. Le président lui dirait en substance ceci : Il m'était impossible de démissionner. Je l'avais déjà fait en septembre 1953, alors que j'étais ministre chargé de l'Europe, pour protester contre la politique arbitraire menée au Maroc et en Tunisie. On ne peut pas démissionner en permanence. En revanche, et vous avez raison Jacques, j'aurais dû oublier ma fonction de ministre de la

Justice et interdire qu'on transférât les dossiers des nationalistes algériens aux intraitables tribunaux militaires. Ainsi aurait-on pu éviter de nombreuses condamnations à mort. Plus tard, on m'a même rapporté qu'on jetait des types des hélicoptères. C'est une faute.

Libert, vingt ans à peine, publia un premier livre résolument hostile au bellicisme ambiant. Lecteur inconditionnel de Camus, il reprit, en le modifiant, le titre du célèbre texte « Noces à Tipasa ». Son pamphlet, il l'avait intitulé *Deuil à Tipasa*. Dans le livre, l'Algérie a gagné son indépendance. Le XXᵉ siècle tire sa révérence. Parmi les ruines romaines, un jeune Arabe raconte l'histoire d'un vieil Européen, né à Alger, qui a refusé la liberté au peuple algérien et qui, quelques jours avant de mourir, souhaite revoir une dernière fois les montagnes, la mer et le ciel de Tipasa. L'administration ne lui délivre pas l'autorisation. Le jeune Arabe maîtrisant mal la langue de l'Européen, décide alors de dessiner avec son propre sang le paysage de Tipasa et de l'envoyer au vieil Européen sans nom. Dans ce court récit, un peu plus de cent pages, jamais le mot français n'est écrit.

Camus trouva le texte admirable d'intelligence. Lui qui avait été quasiment le seul à dénoncer la boucherie de Sétif par l'armée française, en 1945. Il espérait simplement qu'il ne serait pas un jour ce vieil Européen que l'histoire empêcherait de pouvoir marcher sur les plages de Tipasa… Sartre lança l'offensive contre Libert puisque ce dernier était loué par Camus. Henri Jeanson, prof de philo et porte-flingue de l'auteur des *Mots*, vida son chargeur sur le jeune homme. Ce dernier passa entre les balles avec l'insouciance des débutants. Sa carrière était lancée. Il dansait sur un volcan.

Deux ans après, Libert publia un roman à partir de la vie de Restif de La Bretonne. Restif, le temps d'un livre, se promène dans les aubes fines des jardins du Palais-Royal, la tignasse embroussaillée et malodorante. Page 128, il quitte une fille publique qui, d'après la rumeur, est tout bonnement sa fille, et la mère, qu'il croise quelques lignes plus loin, s'écrie, scandalisée : Voilà mon gagne-pain, et c'est toi qui me l'as donné ! Trois chapitres après, Restif devient le premier tagueur de l'histoire de l'humanité. Il grave sur les pierres de la rue de Rivoli le nom de ses conquêtes féminines, suivi d'indications latines obscènes. Il est également fétichiste, collectionne les jolis pieds chaussés de souliers à hauts talons. Un peu plus loin encore, Libert s'extasie sur ses insupportables contradictions politiques qui révèlent, selon lui, un esprit pragmatique d'une rare clairvoyance. Il ne brasse pas de l'air, conclut le romancier, il brasse des idées, les idées les plus neuves de son siècle.

L'ouvrage de Libert, intitulé *Le spectateur éclairé*, fut jugé scandaleux. Son auteur n'était qu'un psychopathe, au style lourd. On lui avait collé une sale étiquette. Il ne s'en débarrasserait jamais complètement.

La sonnerie du téléphone fixe le tira de sa rêverie revisitant ses débuts. C'était son éditeur. J'ai essayé de vous joindre sur votre portable, mais je tombe sur la messagerie. Dites-moi, Jacques, j'ai lu la moitié de votre roman. Vos rapports avec votre femme, c'est dingue ! Je ne savais pas que vous étiez dans la guerre permanente. Pire, dans la perversion. Vous allez subir l'ire de toutes les femmes. Je ne vous parle même pas des féministes. Il faudrait peut-être couper... Libert l'interrompit. On ne change rien ! Lisez jusqu'au bout. C'est tout ce que je vous demande. Salberg n'insista pas et confirma simplement qu'une jeune journaliste allait l'appeler pour enregistrer un entretien diffusé sur France 5. Libert grommela. Bonjour l'audience ! Lisez jusqu'au bout. On verra à qui on vend l'entretien. Elle se nomme comment votre journaliste ? Céline Larive, répondit Salberg.

Libert mit fin au coup de fil comme il le faisait depuis toujours. En disant au revoir et en raccrochant en même temps. Il était irrité. En réalité, il aurait voulu passer en direct dans une émission littéraire. Sa santé l'en empêchait. Ça l'exaspérait.

Et puis, malgré le point final d'*Un léger remords*, il vivait toujours avec le fantôme de Laure. Il n'avait pu la dissoudre dans le récit. L'exorcisme avait échoué. Vivant, il ne serait jamais en paix. Il prit une cigarette qu'il n'alluma pas. Il avait écrit que, depuis vingt-deux ans, il couchait seul. C'était faux. Depuis vingt-deux ans, il couchait avec une morte.

15

Il restait dans son bureau à lire et à regarder la mer. Il devait éviter de se produire dans une émission de télé avec des auteurs dont le but était d'écrire ce qu'ils ne pensaient pas par pur conformisme. L'écrivain devait prendre des risques, se comporter comme un voyou. Il était du côté du mal. La société représentait son pire ennemi. La bêtise sociale, pour être précis. Il n'en démordait pas.

Ou alors il fallait écrire un roman sur l'amour, le véritable amour, celui pour lequel se commettent tous les crimes.

Après avoir posé son livre sur le bureau, il détacha la clé USB de la lanière de cuir qui pendait autour de son cou, la glissa dans l'encoche de l'ordinateur. Les fichiers apparurent sur l'écran. Il cliqua sur celui intitulé *Les années où je n'existais pas*. Quelques épisodes de sa vie de conseiller spécial étaient là, des bouts de souvenirs, des scènes, des instants, des émotions indicibles. Rien de cohérent. Une ébauche du livre souhaité par son éditeur. En sentant autour du cou la chaîne tenant la clé USB, il repensa à ce que lui avait dit un jour le président, à propos du code atomique. J'ai horreur des entraves, Jacques, horreur de ça ! Ni chaîne, ni gourmette, ni même de montre. Cette répulsion d'avoir un lien au poignet, de se sentir phagocyté. Le pouvoir suprême afin d'être libre. Entièrement libre.

Mais depuis qu'il était rentré de Venise, Libert ne quittait plus cette clé USB.

Il relut le passage de leur première rencontre. C'était en 1959, après l'affaire de l'Observatoire, le steeple-chase dans les jardins, quand l'immunité parlementaire du président avait été levée par le Sénat. Cette fois, il l'avait cru fini, le sénateur de la Nièvre, le seul rempart contre de Gaulle, revenu aux affaires après avoir été soutenu dans les officines de la République par les partisans de l'Algérie française. Libert était favorable à l'indépendance, il l'avait écrit, et il n'avait pas confiance en de Gaulle. Pour lui, c'était un aventurier qui ne représentait pas la France, mais lui-même. Le président n'était pas loin de penser la même chose. Il fallait donc qu'il le rencontrât.

L'Observatoire. Le président était à cette époque au fond des oubliettes. De Gaulle avait fait approuver par référendum la constitution de la Ve République. Il avait été ensuite élu président de la République par un collège de grands électeurs. Le président avait, pour la première fois, perdu son siège de député de la Nièvre. Il serait cependant élu sénateur de cette même région au printemps 1959. Mais son hostilité à l'homme du 18 juin l'avait isolé. Or, dans la nuit du 15 au 16 octobre 1959, deux hommes, dont un certain Robert Pesquet, ancien député d'extrême droite, tentaient de le tuer. La cote du sénateur flamba. La classe politique s'émut. On avait voulu tuer un des leurs. Mais le 22 octobre, Pesquet confessait au journal d'extrême droite *Rivarol* que l'attentat avait été arrangé par le président lui-même. Descente aux enfers. Du Capitole à la roche Tarpéienne, il n'y avait eu que six jours.

C'est donc dans cette période confuse que Libert fit la connaissance de celui qui allait devenir le président.

*

Il relisait le récit de cette rencontre :

Je le guettais depuis plusieurs jours entre le Sénat et la rue Guynemer, son domicile. Je finis par le voir entrer dans un café de la rue Bonaparte. Le temps était au froid humide, il portait un manteau gris clair, un chapeau de feutre noir et de nombreux quotidiens sous le bras gauche. Il était au comptoir, buvant un petit noir quand je l'abordai, après avoir respiré un grand coup, je n'avais que vingt-trois ans. Malgré le contexte tendu – le Sénat venait de lever son immunité –, il ne parut pas surpris. Il aurait pu croire qu'un nouveau vrai-faux barbouze voulait le tuer. Je me présentai, lui disant que je venais de publier un livre. Il m'interrompit. Je vous connais, dit-il avec un grand calme dans la voix. J'ai lu *Deuil à Tipasa*. C'est remarquable. Ce que vous décrivez arrivera. La guerre civile est proche. De Gaulle a menti. Il a compris, non pas les Algériens, mais le sens de son propre destin. Il sait ce qu'il veut. Je crois qu'il le sait depuis le 18 juin, précisai-je. Il le sait depuis l'âge de raison, répondit-il. Je crois qu'à ce moment-là, il parlait de lui. De Gaulle, reprit-il, est parti pour Londres parce que Pétain avait pris la place qu'il voulait. C'était risqué, Londres, avec dix fidèles seulement pour le suivre, mais c'était la seule solution. Moi, j'étais prisonnier, je rongeais mon frein. Bref, je suis un peu perturbé en ce moment. J'ai été piégé. Vous qui êtes romancier, c'est un scénario fameux. Mais j'ai connu de bien pires situations. Pendant la guerre, notamment, quand la Gestapo a failli me tuer. La Gestapo, c'était autre chose. J'ai toujours dit que seul au milieu d'un couloir avec à chaque bout des hommes de la Gestapo, j'arriverais à leur échapper en trouvant une sortie dans les murs. Ne vous moquez pas, jeune homme, il suffit de le vouloir pour que cela se produise. Dînons vendredi soir chez Lipp. Je vois ma nouvelle 403 qui m'attend. L'autre est à la balistique. 20 h 30, table près de la caisse, où l'on voit tout. Mais attention, vous risquez de croiser des regards haineux quand on comprendra que vous venez me rejoindre. Je suis honni. Il dit cela d'une voix toujours douce. Son visage, en revanche, s'était crispé, faisant remonter le cou qu'il avait déjà un peu gras. Il cachait bien son jeu. Cet homme était perdu, mais il conservait dans le regard un air de défi que seuls arborent les grands prédateurs.

J'attendais le vendredi soir dans une impatience calme. Je marchais dans Paris, je lisais un roman pris au hasard dans la boîte d'un bouquiniste, je regardais la Seine depuis la pointe de l'île Saint-Louis. Le ciel était cotonneux, il le resterait jusqu'en mars. Il fallait que je trouve du travail, je n'en avais pas envie. Je voulais écrire et en vivre. Voilà tout.

Il était assis à la table près de la caisse. Il portait un costume gris à rayures tennis qui lui donnait une carrure de catcheur. Je m'assis en face de lui, et j'entendis fuser un « collabo » venu de nulle part. Il sourit, sans trop écarter les lèvres car il avait des incisives assez longues. Je l'avais remarqué au comptoir du café. Vous voyez, dit-il avec une légère pointe d'émotion maîtrisée dans la voix, je ne vous ai pas menti. Je suis détesté. Vous dînez avec le diable. Tant pis pour vous.

Très vite, il a parlé de mon livre et de littérature. Son esprit était vif et brillant. Les mots tombaient juste. Je regardais ses cheveux noirs, un peu crantés sur le haut du crâne. Il n'était ni jeune ni vieux. Son visage ne délivrait pas un message de force, au contraire. La peau semblait molle, presque tombante. On aurait dit un prélat ondoyant, manquant de courage. Dans le regard, néanmoins, je retrouvais la détermination du fauve. Plus que tout, il cherchait à plaire. Que ce soit avec les hommes ou les femmes, il était dans la séduction permanente.

C'était un grand timide également. Peut-être avait-il choisi la politique pour la dominer.

Il me complimenta à nouveau pour *Deuil à Tipasa*. Il me dit que l'Algérie serait bientôt indépendante et que le général de Gaulle allait trahir ses partisans. L'indépendance est inévitable, affirma-t-il en clignant les yeux. J'aurais, pour ma part, souhaité qu'elle restât française, mais pas par la force. Par la négociation. Que les liens ne soient pas rompus définitivement afin que nous n'en arrivions pas à cette situation que vous décrivez dans votre livre avec beaucoup de lyrisme. Certaines pages m'ont fait penser à Barrès. Le Barrès de *La Colline inspirée*. Vous êtes promis à un bel avenir.

Quand il parlait, ses lèvres s'effaçaient pour laisser jaillir le mot choisi. Ses mains l'accompagnaient d'un geste précis comme au tennis, quand on sert. Je pensais à cette comparaison, car j'avais lu qu'il excellait dans ce sport. Parfois, malgré le brouhaha de la brasserie, une insulte nous arrivait aux oreilles. Il faisait mine de ne pas l'entendre, mais son regard le trahissait. Il s'embuait. Alors, dit-il en attaquant sa sole meunière, après avoir englouti une douzaine d'huîtres, vous vouliez me rencontrer dans quel but ? Je suis intrigué, parce que, actuellement, on me fuirait plutôt. Mes amis, je les cherche. Je crois que, quoi qu'il arrive, il y aura un avant et un après 1959.

Il ne prononça pas le mot Observatoire. Pour toute réponse à sa question, je lui dis qu'il représentait l'opposition au général de Gaulle et que l'avenir politique, c'était lui. Cette fois, il laissa apparaître ses incisives. Vous ne manquez pas d'aplomb, jeune homme, venir me dire cela, aujourd'hui, alors que tout le monde me donne pour fini. Mais j'avoue que j'aime assez cela.

Je lui dis que l'affaire de l'Observatoire était tellement embrouillée que bientôt plus personne ne s'y retrouverait. Plus il paraissait coupable, mieux il s'en sortirait. Et puis, de toute façon, il était le seul à pouvoir défier l'ex-ermite de Colombey.

Je savais que je lui avais plu. Mais il se méfiait tout de même. Peut-être croyait-il que j'étais un nervi du Premier ministre, Michel Debré. Vous savez que depuis le 31 mai 1958, me dit-il avec le flegme du joueur d'échecs, je suis devenu l'homme à abattre.

Non, je ne savais pas. Je n'avais que mon intuition pour aller vers lui. J'attendais qu'il me raconte, subjugué par sa voix, émoustillé par le regard malveillant des autres clients. J'étais là où je voulais être. Ça n'avait pas de prix.

Je vais vous raconter, dit-il, en finissant son verre de vin. De Gaulle, pour finaliser son coup d'État devant l'Assemblée nationale, le 1er juin, décide, la veille, de réunir chez Lapérouse les chefs des partis politiques qu'il a tant vomis. Je m'y rends car je dirige un petit groupe parlementaire, l'USDR, et j'écoute le général nous demander : Avez-vous des objections à me faire quand je me présenterai devant vous ? Nous sommes une petite trentaine face à lui. Personne ne bronche. Je suis un peu en retrait, intimidé tout de même, vous imaginez, Jacques (c'est la première fois qu'il m'appelle par mon prénom). Je prends la parole : Mon général, il faut désavouer les comités de salut public d'Algérie et de Corse, placés sous l'autorité des militaires, qui réclament votre retour aux affaires... Il déploie son gigantesque corps et tempête contre moi : Vous voulez ma mort, c'est ça ! Eh bien, j'y suis prêt ! Et il quitte immédiatement la salle, furieux.

Le président se tait. Puis il finit par ajouter : Il m'avait repéré depuis belle lurette. Mais son énervement m'incite à croire qu'il fut surpris de ma prise de parole. Sa réponse ne correspondait pas à ma demande. C'était hors sujet. Il a cru que je voulais le tuer. Une mort symbolique. Son inconscient s'était exprimé. Mais ce n'est pas l'acte fondateur que je vous raconte. Il a eu lieu lors de notre première rencontre à Alger, en 1943. Là, j'ai compris que je ne pourrais jamais pactiser avec cet homme. J'ajoute que, depuis l'année dernière, il n'incarne plus l'homme révolté que j'aurais pu rejoindre en 1940, si je n'avais pas été fait prisonnier avant de m'évader, il est le garant de l'ordre établi, un ordre qui sera prochainement obsolète. Mieux, que je rendrai obsolète. Si je me sors du piège où je suis tombé. Cela risque d'être long. Je vais devoir m'effacer quelque temps.

Le dîner s'achevait. Il régla l'addition, prit son chapeau et enfila son manteau. Nous sortîmes lentement malgré la tension palpable qui émanait de la plupart des tables. Il marchait devant moi, sa silhouette était massive. Il avait la tonsure des jésuites, ce qui collait à son esprit sinueux, refusant toute situation limpide. Une fois dehors, il me prit par le bras, comme les maffieux dans les polars américains, et me murmura :

Jacques, je vais voyager. Je pars pour la Chine. Écrivez pendant ce temps. Sachez que les mots qui surgissent savent de nous des choses que nous ignorons d'eux.

Au moment de mettre son chapeau, un type dans une voiture, vitre baissée, hurla «Menteur!», «Escroc!» «Ordure!» Il me prit la main, qu'il avait glacée. J'eus l'impression qu'il allait craquer. Mais il se ressaisit immédiatement et me dit : Ils me regardent tous, maintenant! Mais ils ne savent pas qu'en 1941, j'ai marché vingt-deux jours durant dans la neige et le froid, avec la peur d'être repris par les Allemands. Je me suis évadé trois fois! De Gaulle, cinq fois durant la Première Guerre mondiale, mais il a échoué. Pas moi! Voici ma carte. Appelez-moi et venez chez moi, rue Guynemer. J'aurai bientôt besoin de vous.

Et il a traversé le boulevard Saint-Germain, disparaissant rue Saint-Benoît. Assurément, il ne rentrait pas chez lui. J'ai marché dans le froid humide. Je me disais qu'il avait quarante-deux ans et que j'en avais presque vingt de moins. Il possédait en lui une lumière invisible. Je devais lier mon destin à celui de cet homme.

16

Libert, malgré la fatigue, ne pouvait se résoudre à éteindre l'ordinateur. Sur un support papier, il aurait même commencé à corriger son texte au crayon de papier. Il poursuivit donc la lecture de ses mémoires fragmentés.

Trois jours plus tard, j'appelai le président avant le dîner. Il semblait accablé. Il acceptait que je lui rende visite. Sa femme et ses deux enfants étaient en province. À l'époque, j'habitais rue des Trois-Frères, à Montmartre. C'était encore un quartier populaire où tout le monde se connaissait. Je fréquentais des rapins qui me parlaient de Louis-Ferdinand Céline et de ses potes au langage ébréché. Il avait vécu rue Girardon avant de connaître l'exil politique, puis la maison de Meudon où il vivait en compagnie de Lucette, sa belle danseuse, de ses chiens menaçants, et d'un perroquet intraitable. On le disait très malade, rassemblant ses ultimes forces à la rédaction d'un roman visionnaire, *Rigodon*.

Plus tard, je posséderais un studio, rue du Cirque, empruntant chaque soir le souterrain reliant celui-ci au palais de l'Élysée.

Je passai voir le président à 22 heures, comme il l'avait souhaité. Il me reçut dans son grand appartement de la rue Guynemer dont les fenêtres surplombaient les marronniers du Luxembourg. Dans l'entrée, je remarquai un étrange rhinocéros de cuir rouge. Il me fit passer dans le salon occupé par un piano demi-queue immense. Souhaitant, quelques années plus tard, lui jouer une chanson de Charles Trenet, «Revoir Paris», j'apprendrai qu'il était désaccordé. Le président portait un pantalon de laine grise et un pull de couleur crème. Il semblait au bout du rouleau. Je suis heureux de vous voir, Jacques, dit-il d'une voix blanche. Je pensais que nous pourrions aller manger des crêpes, j'adore les crêpes, mais j'attends un coup de fil de mon avocat, Roland Dumas. Il a, paraît-il, un dossier embarrassant sur le Premier ministre. Alors j'attends. Mais j'avoue que le noir du jardin du Luxembourg me donne des idées de suicide. Oui, Jacques, de suicide. Il se dirigea vers la fenêtre derrière laquelle, en effet, tout était noir. J'ai pourtant toujours été seul, dit-il, dès l'enfance, malgré mes sœurs et mes frères. Je regardais les ruisseaux, me demandant où ils allaient. Je voulais partir, glisser vers l'horizon. Au collège Saint-Paul d'Angoulême, où j'étais pensionnaire, les soirées me paraissaient interminables. Comme celle-ci. J'avais des angoisses. Je les sentais monter en moi. Sans raison. Un mal-être. Les religieux qui nous formaient étaient stricts et taiseux. Il n'était pas possible de se confier. Alors je me réfugiais dans la lecture. Ensuite, je me suis inscrit à la Faculté de droit de Paris. Je logeais à la pension du 104, rue de Vaugirard, chez les maristes. J'y ai connu mes principaux amis. Mais je suis resté très seul, en réalité. Surtout quand ma mère est morte. J'avais vingt ans. Ça m'est tombé dessus. J'étais sonné. Je me suis retrouvé sur un chemin sans bordures. Une force irrépressible m'a alors soulevé. Dans les coups durs, elle me sauve. Et surtout, elle me donne la direction à suivre. Je sais que je dois m'opposer à de Gaulle pour transformer cette force en destin. Le poète d'Annunzio a dit que, sans la France, le monde serait seul. Sans moi, après de Gaulle, la France sera seule.

Il avait dit ça, cette phrase énorme, les yeux rivés sur le noir des arbres nus, ajoutant d'une voix monocorde : Après de Gaulle est même en trop.

Il restait debout, tassé sur ses petites jambes que je devinais musclées. Un bourrelet se dessinait sous son pull clair J'ai apprivoisé la solitude, poursuivit-il, comme j'ai su dominer la douleur, surtout après le drame qui m'a frappé au sortir de la guerre, j'ai apprivoisé la solitude, oui, apprenant à m'en nourrir, à me fortifier auprès d'elle, mais là, Jacques, je sens qu'elle me possède et m'envahit comme l'eau envahit les poumons de l'homme qui se noie. Ah! «Ils» sont très forts, vous n'imaginez pas! «Ils» veulent ma peau!

Puis il demanda, sans me regarder : Vous possédez une arme?

Je m'empressai de répondre non. Il me dit que c'était regrettable. Jamais je ne saurais s'il voulait s'en servir contre lui ou contre de supposés redoutables ennemis.

En revanche, je m'apprêtai à le questionner sur ce drame personnel auquel il avait fait allusion lorsque la sonnerie du téléphone retentit. Il se dirigea vers le combiné sans empressement. Ah! Roland, j'attendais votre coup de fil. Vous avez des nouvelles. Bien. Ne dites rien au téléphone! Vous pouvez passer. Je suis avec le jeune homme dont je vous ai déjà parlé. Oui, l'écrivain. Je vous attends.

Trente minutes plus tard, je découvris Roland Dumas, le seul avec qui je suis encore en contact aujourd'hui, c'est-à-dire un peu plus de cinquante ans après cette première rencontre. On l'appelait le chevalier noir du président. Il avait deux qualités essentielles à mes yeux. D'une part, c'était un vrai politique, et d'autre part, il pensait vite et agissait lentement. Il était plus rusé que le président, lequel cultivait à l'excès l'art de l'ambiguïté.

Bref, Roland Dumas était devant moi, grand, poitrail large, cheveux aux oreilles, ce qui était long pour l'époque, une moustache à la Douglas Fairbanks, des yeux malicieux et surtout une voix au timbre clair à séduire tous les cœurs. Un avocat redoutable, donc.

Nous étions à présent dans le bureau du président. Il s'appuyait au rayonnage chargé de livres, raide et terriblement pâle. Une lampe sur la table diffusait une faible lumière jaune qui donnait un air de conspiration à notre réunion à trois. Je vis qu'il possédait les œuvres complètes de Lamartine, passé lui aussi de la droite à la gauche. J'aurais bien voulu déclamer quelques vers du poète romantique pour détendre l'atmosphère. Je me contentai de passer l'index sur la tranche de cuir rouge de *Graziella*.

Roland Dumas exposa la situation au président. Contre l'affaire de l'Observatoire, il fallait mettre en avant celle du bazooka, un attentat perpétré en janvier 1957 contre le général Salan, commandant en chef des forces armées en Algérie, jugé trop faible à l'égard du FLN. J'avais du mal à suivre, je l'avoue. Le président avait des dossiers compromettants sur beaucoup de personnalités politiques. Il devait le faire savoir sans les utiliser vraiment. La peur va changer de camp, prophétisa Dumas. Vous êtes inculpé. Ce qu'il faut, c'est qu'il n'y ait jamais de procès. Comme pour Antigone, conclut l'avocat.

Le président n'avait rien dit. Il avait écouté jusqu'au bout l'exposé, silencieux, le visage impavide. Il avait traversé à pas lents le bureau, regardant droit devant lui, comme un condamné à mort. Bien, finit-il par lâcher. Faites-leur comprendre que vous êtes quelqu'un qui sait. Et attendons. Nous irons dimanche prochain chez les Lazareff, à Louveciennes. Nous y croiserons sûrement Chaban-Delmas. Il nous donnera des nouvelles fraîches. Jacques nous accompagnera. Il faut lui faire connaître les gens influents. Il sera un écrivain célèbre. Vous jouez au billard ?

Cet homme était extraordinaire. Une heure avant, il songeait à se suicider. À présent, il me proposait d'être présenté au Tout-Paris, de rencontrer Sagan, Mauriac et quelques autres, et de faire une partie de billard ! J'apprendrai plus tard qu'il ne supportait pas de perdre. Il fallait immédiatement rejouer pour effacer l'échec.

Avant de nous dire au revoir, il a mis un disque de Sidney Bechet. En souvenir d'une nuit mémorable, murmura-t-il, déjà absorbé par sa réflexion.

Dumas et moi sommes partis. Je craignais de laisser le président seul. Il haussa les épaules. Il va mieux, me dit-il. Il va dormir et demain, il nous concoctera un plan de bataille. Marchons un peu, voulez-vous. Nous avons longé les grilles du jardin du Luxembourg. Il faisait froid, l'air ne sentait rien malgré la proximité de la terre battue. Dumas était en mission pour me questionner. Il a beaucoup apprécié *Deuil à Tipasa*, me confia-t-il. Il voit d'un bon œil que vous souhaitiez faire partie de sa garde rapprochée. Il cherche des talents. Dans quelques années, si les choses se passent comme il le pense, il pourrait être président de la République. Mais il doit fédérer la gauche non communiste. Il veut partir d'un petit cercle pour l'élargir progressivement à d'autres cercles, tout en conservant ce noyau originel. Ça prendra du temps. Il ne souhaite pas vous voir élu, mais plutôt conseiller auprès de lui. Il a une passion pour les écrivains. Il aurait voulu lui-même écrire, mais il a choisi l'action. Et puis, entre nous, il a du mal à écrire. Il rature trop. J'ai été surpris de vous trouver là ce soir. En général, il cloisonne. C'est qu'il croit en vous. Ne le décevez pas.

Nous marchions d'un pas rapide, car le froid était décidément vif. Arrivés place Saint-Michel, Dumas se tourna vers moi et me dit : Vous êtes originaire de Bretagne. De cette côte de granit déchirée où repose ce styliste génial qu'est Chateaubriand. C'est une côte tragique. Grâce à votre enfance, vous êtes un homme habité par la mer, cette mer toujours en mouvement et qui jamais ne change. Il aime ça. Vous n'êtes pas allé à sa rencontre par ambition. C'est ce qu'il pense.» Dumas ajouta : Il ira très loin, mais lentement. Il avance de biais.

En tout cas, il savait beaucoup de choses sur moi. J'en fis la remarque à mon compagnon nocturne. Il a été ministre de l'Intérieur, répondit Dumas en hélant un taxi G7, il a des dossiers sur tout le monde comme vous avez pu le constater ce soir. Un conseil : si vous entrez dans son cercle, c'est pour toujours. Sa force de séduction est terrible. Et si vous le trahissez, il ne vous bannira pas, car il sait que vous ne pourrez échapper à cette loi physique d'attraction qui n'est décrite nulle part. Il vous laissera tourner autour de lui, sans vous regarder, jusqu'à l'épuisement.

Avant qu'il ne monte dans le taxi, je demandai quel drame avait frappé le président, au lendemain de la guerre. Il a perdu son fils, Pascal, quelques semaines après sa naissance, le 10 juillet 1945, dit-il en claquant la portière.

*

Libert ferma le dossier en cliquant dessus. Il était ému par ce qu'il venait de lire. Mais son esprit tatillon s'interrogeait : était-ce Dumas ou le président qui avait parlé de «côte tragique», à propos de la

Bretagne ? Il penchait pour le président lorsqu'il avait évoqué, lors de l'une de leurs innombrables promenades vespérales, son retour d'Angleterre, le 26 février 1944, seul à bord d'un rafiot ballotté par d'énormes vagues sombres, avec une boussole et des rames, et l'envie de vomir en permanence. C'était par une nuit sans lune. Il fallait trouver les côtes françaises, coûte que coûte, sans se laisser submerger par les vagues et l'angoisse, cette dernière étant plus dangereuse encore. Et soudain, il vit la côte française, c'est alors que le président avait parlé de «côte tragique», celle-là même où était né Libert. Ce n'était donc pas Dumas mais le président qui avait employé cette belle expression. Il s'apprêtait à céder à la tentation de modifier le passage quand une voix féminine cria son nom.

17

La pendule indiquait 17 heures Ce devait être Louise, elle était ponctuelle. Il lissa machinalement ses cheveux avec la paume des mains et descendit l'escalier avec précaution. L'inflexion de cette voix lui était familière, mais il ne pouvait l'attribuer avec certitude à Louise. C'était bien elle pourtant qui attendait sur le perron. Il la fit entrer et la débarrassa de son blouson. Elle portait un jean taille basse et un col roulé qui cachait à peine son nombril. Il lui proposa un verre d'eau avant de se mettre au travail. Il souhaitait qu'elle nettoie le premier étage, en particulier son bureau. Puis il disparut dans la cuisine. Le téléphone fixe retentit. Décrochez! cria Libert dans le lointain. Louise s'exécuta. C'était la journaliste qui demandait à parler à l'écrivain pour fixer un rendez-vous en vue de l'interview filmée. Louise fit preuve d'audace. Elle mentit en disant qu'elle était sa nièce, que son oncle était souffrant, et qu'elle devrait rappeler dans une semaine. Pas avant, ajouta-t-elle, avec aplomb.

Libert réapparut un verre d'eau à la main. Qui était-ce ? demanda-t-il. Le journaliste qui doit venir pour l'entretien, répondit-elle, le visage un peu rouge. Il viendra demain à 11 heures pour préparer les questions. L'émission sera enregistrée plus tard. J'avais demandé que ce soit une femme, grommela-t-il. Mais au fond de lui, il s'en moquait. Vous avez fait preuve d'initiative, ajouta-t-il. C'est bien. Une vraie collaboratrice.

Il ne restait plus à Louise qu'à prévenir Martin Brunet. Elle le ferait du premier étage de la maison. Mais Libert l'invita à s'asseoir. Il lui dit qu'il avait lu trop longtemps assis et qu'il avait froid. Il lui proposa un Viandox. Elle sourit tout en refusant. Pourquoi ce sourire ? Pour rien. Je vous en ai déjà proposé, c'est ça ? Vous pensez que je suis sénile. Mais ça a failli me coûter la vie. Elle attendait qu'il lui confie l'histoire du Viandox. Il disparut une nouvelle fois dans la cuisine en disant qu'il n'en avait que pour quelques minutes. « Regardez la dédicace de *La Chute*. »

C'est ce qu'elle fit. « *À Jacques Libert qui a compris l'âme de cette terre que l'aveuglement politique nous ôte peu à peu. Vives amitiés. Albert Camus.* » Écriture assez fine, tendue, lettres pas reliées entre elles, une volonté terrible nuancée par le doute. Elle se dit ça, sans réfléchir.

Il revint avec un bol fumant. Même l'été, il en buvait. Alors, belle dédicace, n'est-ce pas ? Elle lui demanda s'il l'avait connu. Il l'avait rencontré par l'intermédiaire de l'actrice espagnole Maria Casarès. Il avait apporté cet exemplaire. Il lui avait révélé son envie d'écrire. Pour dénoncer les injustices. Être une voix. Tout ça lui paraissait à présent risible. Il commença à boire son Viandox.

Il s'assit dans le fauteuil de cuir, en face d'elle. Il but à petites gorgées le breuvage derrière lequel se cachait un secret insolite, peut-être tragique. Il faisait durer le plaisir. Ses yeux d'un bleu pâle la regardaient. C'était un redoutable manipulateur. Il ne révélerait jamais la vérité. Pour chaque interlocuteur, il avait une version de sa vie. Il est probable qu'il improvisait selon son humeur.

Après la mort de ma femme, et la rumeur qui se répandit sur les conditions de son décès, le président prit la décision de m'éloigner de lui. Je gardai mon bureau à l'Élysée, mais je ne l'occupai plus. Je sortis du premier cercle. Le titre de conseiller spécial me fut retiré. Je n'en fus pas affecté, le président continuait de me consulter, surtout pour la construction européenne et les relations entre la France et l'Allemagne. Je n'étais plus visible sur les écrans radar, voilà tout. Cela n'avait donc pas d'importance. Quand on travaille dans l'ombre d'un homme comme le président, il ne faut pas avoir d'ego, sinon on perd la raison. En continuant à m'adresser la parole, il m'évitait de développer des plans vengeurs comme seuls en ourdissent les amoureux éconduits. Mais peu de temps après, j'ai commis une erreur. J'ai accepté de rencontrer un journaliste d'investigation qui voulait la peau du président. Il s'appelait Louis-Stéphane Ramirez. Il savait beaucoup de choses sur les présumés montages financiers des campagnes électorales du parti socialiste. Il avait également enquêté sur un délit d'initié orchestré par un vieil ami du président, délit d'initié couvert, toujours selon lui, par le ministre de l'Économie de l'époque qui deviendrait Premier ministre et serait récompensé, si la thèse est exacte, par un prêt d'un million de francs, sans intérêts, octroyé par le même intime du président. Le Premier ministre a fini par se suicider, rongé par le remords, ou a été «suicidé» parce que suspecté de vouloir tout balancer. On disait Ramirez proche de l'extrême droite. C'est la curiosité qui m'a poussé à accepter ce rendez-vous. Ramirez était bien informé, en effet. Et j'ai appris, ce jour-là, le nom de son informateur. C'était un intime du président. Il avait accès à des dossiers dont j'ignorais le contenu. Je ne fus pas surpris en apprenant ce nom, car je le soupçonnais depuis plusieurs mois. Amoureux fou du président, il ne supportait pas de rival masculin. Il avait tenté, à plusieurs reprises, de me mettre hors jeu.

Mais il ignorait qu'un secret nous liait, le président et moi. Un secret qui m'a permis jusqu'à la fin de rendre visite au président à l'Élysée, la nuit, en passant par la porte de l'avenue de Marignan.

Vous souriez, Louise. Mais ce n'était que cela : des secrets d'État et des secrets privés entremêlés, l'ensemble tenu par le président lui-même. Cela a marché tant qu'il jouait le rôle de l'hélice qui propulsait vers son point d'incompétence tout ce monde d'homos refoulés, de mégalos, de névropathes, de concupiscents acharnés à jouir, pour reprendre la formule de Mauriac. Le jour où l'on a su que le capitaine était définitivement condamné, tout s'est soudain disloqué, surprenant l'intéressé lui-même, mettant en péril son ultime dessein : sortir la tête haute de quatorze années de présidence. La mort, il était parvenu à la tenir en respect. Pas les hommes corrompus. C'est dire si le mal en chacun de nous est puissant.

J'ai cru qu'on avait mis le président au courant de mon rendez-vous avec Ramirez et qu'il avait décidé de m'éliminer, pensant que j'étais passé à l'ennemi. C'était facile de l'influencer dans ce sens. Des photos truquées, de faux coups de téléphone, des indices fabriqués, et puis un profil psychologique devenu désastreux, la mort de ma femme, des livres qui se vendent pour de mauvaises raisons, la disgrâce enfin. J'ai eu une discussion à ce sujet un soir à l'Élysée avec le président. Il était couché dans le noir, épuisé. Il m'a dit, je m'en souviens comme si c'était hier : Jacques, la morphine, c'est merveilleux. Il était comme ça, il ne répondait jamais directement à une question. La plupart du temps, il ne répondait même pas du tout. Là, il m'a affirmé qu'il n'avait pas donné l'ordre de m'éliminer de son entourage. De toute façon, Jacques, avait-il ajouté de sa voix chuintante, il y a bien d'autres personnes que je ferais disparaître avant vous, si toutefois j'en avais le pouvoir. Il était trop faible pour poursuivre la conversation. Du reste, il s'est évanoui après cette phrase. Nous n'avons plus abordé ce sujet. J'avais, ce soir-là, recopié la phrase qu'il avait écrite en 1978 et que je connais par cœur. «Ces honnêtes gens de la raison d'État répugnent à tuer physiquement quand ce n'est pas tout à fait nécessaire.» Terrible.

Bref, j'ai cru qu'on avait essayé de m'empoisonner. On connaissait mes habitudes. Tous les matins, j'allais boire un Viandox au café, en face de chez moi. Quand j'ai ressenti les premières douleurs au ventre, des tremblements dans les membres, des difficultés à articuler, une sensation générale de froid, j'ai compris. J'ai immédiatement pris le vomitif que j'avais toujours sur moi. J'ai dégueulé sur le trottoir en hurlant. Les pompiers sont venus, ils m'ont transporté à l'Hôtel-Dieu. Le médecin m'a prescrit un lavage d'estomac. Et je suis là, devant vous. Ce que je ne saurai jamais, c'est la vérité sur cette tentative d'empoisonnement.

Libert tenta de se lever mais fut pris d'une quinte de toux. Louise crut qu'il faisait une crise cardiaque. Il inhala deux bouffées de Ventoline. La tête en arrière, nuque contre le dossier du fauteuil, il tentait de retrouver une respiration normale. Il avait les joues aussi blanches que ses cheveux. Il attendit quelques minutes sans bouger, puis il appuya sur la télécommande de la télévision, comme si de rien n'était. Des images de la campagne électorale du candidat François Hollande passaient sur BFMTV. Louise, qui craignait toujours qu'il ne fît une attaque, ne parlait pas. S'il ne commet pas de faute de dernière minute, il sera élu, dit doucement Libert. Sarkozy n'en veut plus, la fonction a épuisé son désir. Je l'ai affirmé à Morain. Vous en pensez quoi, Louise ? Elle regardait le visage de Libert se détendre et retrouver des couleurs. La politique le tenait en vie, plus que la littérature. Depuis l'affaire du Sofitel de New York, qui a cramé DSK, je me tais, répondit-elle. Je croyais qu'il était l'homme de la situation et pas un baiseur compulsif. L'un n'empêche pas l'autre, sourit Libert. Le président avait lâché à son propos : « C'est un jouisseur sans destin. » Il va connaître une descente aux enfers. Toutes les femmes un peu intellos qu'il a sautées vont vouloir se venger. Comme il ne les a jamais aimées, elles se répandront dans les médias complaisants, et iront même jusqu'à écrire des bouquins pour des éditeurs sans scrupule, ou faire des films elles-mêmes. Elles se filmeront en train de sucer la bite d'un acteur ressemblant à DSK. Elles pleureront ensuite en affirmant qu'elles avaient un flingue dans les fesses. Ah, si seulement il leur avait fait croire qu'il les aimait ! Seul l'amour impose le silence. L'a-mur, comme l'appelait Lacan. Et quoi de plus silencieux qu'un mur ? Le président avait compris cela. C'est vrai qu'il fréquentait Lacan, qui lui avait révélé sa part féminine.

Louise lui fit remarquer qu'il aurait pu être le conseiller de DSK. Vous êtes décidément très forte, dit Libert en coupant le son de la télévision, ne laissant qu'une succession d'images montrant un Hollande moins mince qu'en début de campagne, ce qui en disait long sur son état d'esprit. Pour vous répondre, je vais encore vous raconter une anecdote. Mais, avant tout, sachez que je n'ai jamais fait deux fois la même chose. Quand j'ai cessé d'être le conseiller du président, l'idée ne me serait jamais venue de servir une autre personnalité politique. La première sensation ne se retrouve jamais. Quant à DSK, nous avons un point en commun. Nous adorons les échecs. Il est d'une intelligence analytique rare. Je me souviens en particulier d'une partie à connexions multiples. C'était l'année dernière. Il dirigeait une réunion interminable du FMI. Il répondait en anglais, tandis que sur ses genoux, il avait ouvert un petit ordinateur, et il jouait avec un Chinois, un Russe, un Japonais, un Britannique, un Israélien, et moi-même. Il nous a tous battus. Je fus le seul à offrir la meilleure résistance puisqu'il me mit mat en dernier. C'est de cet homme-là dont je veux me souvenir.

C'était une belle phrase. La première sensation ne se retrouve jamais. Elle le lui dit. C'est une phrase de Laure, répondit-il. Elle la prononçait régulièrement, surtout quand elle commençait à boire. Cette confidence troubla Louise. Elle détourna son regard. Elle se tut, n'osa plus parler de crainte de paraître trop indiscrète. Elle aurait pourtant voulu en savoir davantage sur les relations qu'il avait entretenues avec sa femme. Elle voulait connaître la vérité de cet homme. Celle qu'on ne trouverait jamais sur Internet.

18

Daniel Morain était en colère. Contre ses collaborateurs, contre sa secrétaire, son chauffeur. Il fulminait. Ses chaussures ne brillaient pas, il ne trouvait pas sa cravate à pois, il retournait le bureau à la recherche de l'argumentaire de campagne qu'il venait de rédiger. Paul! Où est-il? Je suis en retard. Appelez-moi Paul, nom de Dieu! Paul, le chauffeur, montait l'escalier central de la mairie quand il entendit la voix tonitruante du patron. Je suis là, dit-il, je vous attendais dans la voiture. Morain prit son portable et enfila sa veste toujours froissée. Nous allons au château. Je suis à la bourre. Le château était la résidence de maître Groult, son premier adjoint et futur trésorier de sa campagne. Comme la demeure possédait un pigeonnier, Morain l'avait surnommée ainsi, mais il s'agissait d'une maison toute simple construite en briques rouges, la fameuse brique de Varengeville.

Maître Groult avait rapidement réuni les principaux notables favorables à la candidature de Morain. Ce dernier serrerait quelques mains, boirait quelques verres, embrasserait quelques femmes ravies, il ferait un bref discours, présenterait la maquette de ses premiers tracts ainsi que la photo retenue pour l'affiche électorale, et il repartirait.

*

Morain avait déjà pris une poignée de tranches de saucisson et avalé deux Chivas sans glaçon, quand il fut conduit dans le cabinet de travail de Groult, à l'écart des éclats de voix. Sur le bureau, il remarqua un dossier où était inscrit le nom de Libert. Groult, très nerveux depuis le début de la soirée, lui annonça sans détours qu'il devait absolument laisser Jacques Libert en dehors de sa campagne. Échauffé par le whisky, Morain explosa : J'aime pas voir mes grognards mouiller au premier coup de canon ! Que se passe-t-il ? Accouche et vite ! Groult lui tendit la photocopie d'un mail en même temps que la boîte à cigares. Morain en choisit deux qu'il mit dans la poche poitrine de sa veste, précisa que le Cohiba était pour son ami Libert, et il lut. Je le sais depuis une semaine que je vais affronter Marie-Anne de Boismoreau ! éructa-t-il. Où est le problème ? Où est le problème ! s'écria Groult. Mais tu es inconscient. Le dossier qui est là, devant moi, ils ont le même, les Boismoreau. Le conseiller occulte du président, qu'on soupçonne du meurtre de sa femme, une Boismoreau, ne peut apparaître à nos côtés durant la campagne. Sinon tout est foutu. C'est du réchauffé tout ça ! hurla Morain. Ces histoires n'intéressent plus personne. Libert est un vieil écrivain malade du cœur qui va passer l'arme à gauche. Ne t'inquiète pas. Récolte le pognon. Je m'occupe du reste. Contre les Boismoreau, j'ai du lourd. Les licenciements abusifs, les fausses faillites, les comptes en Suisse, le passé du patriarche durant la guerre. En 1942, quand les Canadiens ont débarqué, il était où ? Il était où ? Et quand les pauvres gosses se sont fait massacrer sur cette putain de plage avec ces putains de galets qui faisaient péter les chenilles des chars, qui c'est qui sabrait le champagne avec la bande à Laval, hein, réponds-moi, Maître Groult, réponds-moi !

Groult se taisait. Il n'avait jamais vu Morain si énervé. Les veines de son cou étaient boursouflées, toutes bleues, prêtes à éclater. Des gouttes de sueur coulaient derrière ses oreilles et tachaient le col de sa chemise. Il marchait dans le bureau, agitant les mains en tous sens comme s'il était attaqué par une nuée de moustiques. Il exigea du Chivas et du saucisson. Groult sortit et revint avec la bouteille de whisky, et une assiette de charcuterie. Libert, il faut qu'il m'aide, insista Morain. Il faut qu'il m'aide ! Son cerveau est une machine de guerre. Tu sais qu'à l'Élysée, il était le seul des conseillers à pouvoir appeler le président en direct. Le fameux bouton du téléphone ivoire, tout en haut du boîtier, l'ultime bouton, il pouvait appuyer dessus, de jour comme de nuit. Il y a le problème de sa femme, insista Groult. C'était une Boismoreau. Ils ne l'ont pas oubliée. Sa mort... Ah, non ! Tais-toi ! hurla Morain. Tais-toi ! Elle s'est suicidée, y a plus à y revenir ! L'affaire est close ! Pour la police, pour la justice, pour les électeurs, pour tout le monde ! L'affaire est close ! Je ne veux plus rien entendre ! Fermez vos gueules !

Deux femmes commentaient l'agrandissement de la photographie de Morain. Elles s'accordaient pour trouver sa cravate trop colorée. Passant derrière elles, Morain posa son verre vide près des petits fours et leur annonça qu'il n'en porterait pas. Elles en profitèrent pour lui demander s'il n'était pas inquiet à l'idée d'avoir à affronter une femme. Approchant ses lèvres de l'une d'elles, il articula, le regard libidineux : Si elle est aussi peu farouche que vous, ce sera une vraie partie de plaisir. Puis il prit congé de ses supporters en les saluant d'un geste rapide de la main. Une fois dehors, il respira longuement. L'air frais le revigora. Non loin de là, derrière les hauts talus qu'il devinait dans la nuit, se trouvait une croix de granit plantée au bord d'un chemin. En 1944, son père s'était fait faucher par un tir de mitrailleuse. Il avait vingt ans, il était dans la résistance communiste, il voulait tuer du Boche, il aimait une gamine de dix-sept ans qu'il avait mise enceinte, la mère de Morain. Il n'existait qu'une seule photo de son père, âgé de dix ans. Il ne saurait jamais quel visage il avait quand il fut tué. Il faisait chaud, sa poitrine a été déchiquetée, il n'a pas eu le temps de souffrir, mort sur le coup, sans un cri, lui avait rapporté son camarade blessé à la jambe.

Morain ouvrit la portière de la Citroën bleue et s'affala sur la banquette. Mets du chauffage, Paul. Il fait frisquet ce soir. J'aurais dû prendre mon manteau. Tu sais quoi, c'est du passé qu'on va parler durant cette campagne, pas de l'avenir. Je n'ai rien à craindre du passé. J'en suis même fier.

Le maire bredouilla encore une phrase ou deux, ferma les yeux et s'assoupit.

19

Louise faisait semblant de passer l'aspirateur. Ça m'ennuie trop, pensait-elle. Elle aurait pu continuer à converser avec lui. Il le lui avait du reste proposé. Elle devait surtout appeler Martin Brunet. Ce dernier comprit tout de suite la chance qui s'offrait à lui. Louise s'inquiéta de sa propre audace. Elle allait peut-être tout flanquer par terre. Tant pis, les dés étaient lancés. Avec ce journaliste, s'il savait s'y prendre, elle pourrait sûrement en apprendre davantage sur Libert. La fenêtre était fermée, la Manche gigotait derrière les carreaux salis par les embruns. La vue l'impressionna. Les crépuscules d'été devaient être stupéfiants. Face à la mer, son bureau en chêne massif de couleur claire était à l'image de la pièce : sobre. Il y avait, tout d'abord, l'ordinateur avec son large écran aux bords blancs ; tout autour, comme aimantés par ce point fixe, une souris ergonomique sans fil sur une plaque de cuir, quelques stylos, des crayons de papier, un cendrier, un dictionnaire, une lampe bouillotte. Mais pas de manuscrit, ni de cahier, seulement un petit carnet noir. Elle remarqua, accroché à droite du meuble contenant la chaîne stéréo, un tableau représentait l'aiguille creuse d'Étretat. Elle s'approcha pour y lire le nom du peintre qu'elle ne trouva pas. C'est un Courbet, dit Libert. Louise sursauta, elle ne l'avait pas entendu monter l'escalier. La signature est au dos de la toile, ajouta-t-il. Courbet signait là. Et derrière vous se trouve un Picabia, *La Femme à l'idole*. Mais ce n'est qu'une copie. J'aime cette femme qui se donne entière à la statue censée être une œuvre d'art africain. La culotte noire, le porte-jarretelles, les bas, les hauts talons, et l'absence de soutien-gorge. L'art moderne, la tradition africaine, tout ça ne tourne autour que d'une seule idée, une idée axiale : le sexe. Laure détestait ce tableau. Comme j'ai fantasmé en le contemplant ! Au fond, c'est probablement à cause de ça qu'elle voulait le décrocher. Quand elle venait ici, c'était pour regarder les couchers de soleil au-dessus de la mer jamais étale. Et dans son dos, elle sentait que ce tableau la narguait.

Louise écoutait Libert. Il ne lui parlait pas, il s'adressait aux murs, aux meubles, à la femme du tableau, au soleil, à la mer, aux roses du jardin, à Laure surtout. Il lui demanda si elle était libre ce soir.

Louise hésita à répondre oui. Le dîner en tête-à-tête ne devait pas devenir une habitude. Il préparerait quelques pâtes et déboucherait une bonne bouteille. Il ajouta qu'il en avait envie. Elle accepta. Libert redescendit. Elle pressa sur le bouton de l'aspirateur. Elle songeait à Laure, à sa vie auprès de Libert. Elle imaginait de longues nuits sans sommeil ressemblant à des couloirs sombres d'où personne ne jaillit, elle imaginait des rendez-vous annulés, des soirées lugubres passées seule, des colères, des disputes, des humiliations, des scènes de détresse, des cris, des sanglots, des bouteilles d'alcool et des antidépresseurs pour assommer un cœur meurtri, elle imaginait les trahisons ordinaires d'un être fascinant qui détruisait méthodiquement celle qui l'aimait éperdument. Et tout cela dans quel but ? se demanda Louise en rangeant l'aspirateur. Pour gâcher, souiller, jouir de la souffrance de l'autre, par attirance pour la mort ?

Pour rien, peut-être.

*

Il y avait du feu dans la cheminée, des bougies blanches sur un chandelier en étain, un château Gruaud-Larose de 1988, des tagliatelles au vieux parmesan. Libert portait une chemise lavande, col ouvert, il goûtait le vin, Louise écoutait le vent d'ouest balayer la falaise. Bel équilibre, senteurs fumées et épicées, pas mal, pas mal du tout, dit-il en reposant le verre de cristal. J'aime beaucoup la cave de cette maison. Elle sent la terre, les racines, et veille sur le vin comme devrait le faire une mère avec son enfant. La chair et le sang de la chair... Vous appréciez le vin ? Bien que personne ne l'eût initiée, elle trouvait l'arôme de celui-ci particulièrement persistant. Elle décida de passer immédiatement à l'offensive. Pourquoi avez-vous dit « comme devrait le faire une mère avec son enfant » ?

Il lui proposa de goûter les pâtes. Assise en face de lui, elle occupait peut-être la place de Laure, quand ils dînaient en tête-à-tête, sur cette table rectangulaire bien trop grande pour deux personnes. Louise, ce que je vais vous dire, je ne l'ai dit qu'à une seule personne : le président. J'ai eu un fils. Je vous ai menti quand je vous ai répondu que je n'avais jamais eu d'enfant. Il est mort à deux mois. Il s'appelait Clément. Clément Libert. Magnifique, non ? J'étais à Paris. Je présentais un roman. Signatures, cocktail, bêtises. *J'ai tout donné au soleil, sauf mon ombre.* Beau titre. Il ne m'a pas porté chance. Quand je suis rentré le soir, très tard, dans cette maison, Laure dormait à côté du bébé. Il était mort dans son sommeil. Elle ne s'était rendu compte de rien. C'est moi en la réveillant qui lui ai annoncé le décès de notre fils. Elle s'était endormie, épuisée. Et je n'étais pas là. Je dédicaçais mon livre! Nous étions le 18 décembre 1983. Le médecin a dit que c'était la mort subite du nourrisson, sans autre précision. Quant à Laure, elle avait pris des somnifères. Et avec la chaleur de la pièce, elle a sombré dans un profond sommeil. Je ne lui ai jamais pardonné. À moi non plus, du reste. On ne s'est rien pardonné. On s'est détruits. Voilà tout.

Louise était abasourdie par cet aveu. Elle but un peu de vin, machinalement. Libert, qui avait tendance à se tenir voûté, restait droit sur sa chaise. Dans la cheminée, les flammes, de plus en plus hautes, attaquaient le cœur de la bûche, tandis qu'au dehors, le vent continuait de malmener tuiles et volets. Elle finit par rompre le silence. Où est-il enterré? Curieuse question, dit Libert. Sachez que pendant très longtemps, son petit corps est resté dans un bocal de formol, à la cave. Je ne voulais pas m'en séparer. Je ne voulais pas qu'on me prenne le corps de mon fils. J'ai fait comme avait fait la mère de Verlaine pour ses trois fœtus morts. Sauf que là, j'avais dû chercher un gros bocal, un énorme bocal pour y mettre un enfant de deux mois. Cette cave n'a pas recelé que du vin et des bûches. Elle a été une tombe.

Louise écoutait Libert parler avec froideur. Il n'avait pas quitté sa femme, sa femme ne l'avait pas quitté. Ils avaient mené des existences parallèles, se retrouvant pour des séquences houleuses, violentes, sexuelles, toujours dominées par lui. Jusqu'au jour où elle avait fini par partir. Quand elle revint le voir, il ne comprit pas pourquoi. Elle avait sûrement quelque chose à lui dire mais la confrontation fut calamiteuse. Tout cela était écrit dans le roman à paraître. Ce soir, il n'avait pas l'intention d'en dire plus. Louise osa tout de même une question : Pourquoi en avoir parlé au président ? Libert se leva, prit son verre, alla jusqu'à la cheminée.

Je savais qu'il avait perdu son premier enfant à l'âge de deux mois, dit-il en regardant le feu. Il se prénommait Pascal, en hommage au génie de l'auteur des *Pensées*. Nous étions à Château-Chinon, son fief, et nous nous apprêtions à rentrer à Paris quand il m'a demandé ce qui me préoccupait. Il était très soucieux de son entourage. Dès que le comportement d'un proche changeait, il souhaitait en connaître la raison. Toujours avec discrétion, presque délicatesse, j'ajouterais. Je lui ai annoncé que j'avais perdu Clément. Il a demandé à Pierre, son chauffeur, de ne pas rentrer immédiatement à Paris, et de faire un détour par Vézelay. De la colline, me dit-il, nous trouverons la paix intérieure. Quand nous sommes arrivés, le brouillard cachait la basilique de la Madeleine. C'était l'hiver. Il faisait très froid. Nous nous sommes d'abord promenés à l'intérieur de la basilique, immense, éclairée par de minuscules bougies. Dans la crypte, les ossements de Marie-Madeleine dormaient dans le silence. Il s'est soudain arrêté, il a regardé au-dessus de lui, son regard était intense, nous ne bougions plus, il m'a pris la main et il m'a dit : Ils sont là, je sens leur présence. En même temps qu'il me parlait, il a pointé l'index de son autre main vers l'un des chapiteaux du narthex représentant saint Benoît ressuscitant un enfant sous l'œil incrédule de son père. Les larmes me sont venues. Il a compris que je pleurais. Il ne me regardait pas, gardant sa main dans la mienne. Les voûtes étaient très hautes, l'autel très loin. Il n'y avait que lui et moi. Sa sérénité et mon chagrin. Nous sommes sortis. Nous avons marché en direction d'un muret en surplomb des collines. La nuit commençait à rétrécir l'horizon. Il m'a dit : Je connais parfaitement cette région. Quand je sillonne les routes, de n'importe quel point où je me trouve, je repère la Madeleine. Tout me ramène à ce lieu. Nos enfants sont ici. Les grandes décisions se prennent ici. Ce n'est pas la prière qui est importante, c'est ce qu'on éprouve maintenant. Quand j'ai perdu Pascal, j'ai failli tout arrêter. Tout. L'action m'avait éloigné de lui. Il était mort alors que je patrouillais sur le front de la politique. Je bataillais pour exister entre les gaullistes et les communistes, déjà ! C'était dérisoire. Mais j'ai continué, et c'est sur cette colline que j'ai repris des forces pour accomplir mon destin. Fin 1946, j'étais élu député de la Nièvre. Suivez-moi, Jacques. Nous allons nous recueillir sur la sépulture de Rosalie Vetch, la maîtresse de Claudel quand il était diplomate en Chine. L'une des passions secrètes du dramaturge. Elle lui a inspiré le personnage d'Ysé dans *Partage de midi*. Il a eu une fille naturelle avec elle. Des femmes de l'ombre très influentes, puissantes inspiratrices, il y en a plus qu'on ne croit. Que ferions-nous sans elles ? Le président est passé devant la tombe grise de Georges Bataille que je tenais pour l'un des écrivains majeurs du XXᵉ siècle. Mais le président ne semblait pas apprécier l'auteur du *Bleu du ciel*. Peut-être ne l'avait-il jamais lu. Au fond, il était resté très conservateur dans ses choix littéraires.

Nous sommes redescendus jusqu'à la voiture qui nous attendait au début de la rue principale. Lui devant, dans son pardessus beige, avec sa toque de fourrure ; moi, légèrement en retrait, ne sachant pas si je pleurais de froid ou d'émotion.

Libert revint vers la table où dansait la flamme des bougies. Il servit à nouveau du vin, d'abord dans le verre de Louise, ensuite dans le sien. C'était à l'époque où j'étais encore capable d'éprouver quelque chose, murmura-t-il. À présent, c'est l'anesthésie générale de mes sentiments. Il s'approcha d'elle et lâcha son verre qui se brisa sur le parquet. Il ferma les yeux et porta sa main à la poitrine. Louise crut qu'il avait une crise cardiaque, mais il lui dit qu'il manquait simplement d'air, avant de s'effondrer dans le fauteuil. Elle prit l'inhalateur de Ventoline posé sur la table basse et le lui tendit. Sa face rouge l'inquiéta. Il respirait par saccades et de minuscules bulles sortaient de sa bouche grande ouverte. Les traits de son visage s'étaient soudain figés. Son regard exprimait la peur. Ses lèvres commençaient à bleuir. Il inhala trois doses de Ventoline. Louise posa sa main sur la sienne, c'était la première fois qu'elle touchait sa peau, elle était glacée. Il ne parlait pas, s'appliquant à respirer profondément. Des gouttes de sueur perlaient sur son front. Surtout ne bougez pas, dit-elle. Elle courut à la cuisine mouiller une serviette qu'elle plaça sur le haut de son crâne. Mais il continuait à suffoquer. Il lui demanda de prévenir Decaudin, le médecin, et lui donna son portable. Il arrive tout de suite, dit-elle d'une voix qui se voulait rassurante. Il lui demanda encore un service. Il voulait qu'elle mît un coussin derrière son dos afin de faciliter la respiration.

Un quart d'heure après, le docteur Decaudin était là. Petit et large d'épaules, il portait une parka verte, un jean effrangé et des Caterpillar dégouttantes. Son allure ressemblait à celle d'un braconnier. Seule sa grosse sacoche à soufflets trahissait le médecin. Il ne devait pas avoir plus de quarante ans. Il salua Louise qu'il regarda avec étonnement. Elle le conduisit auprès de Libert qu'il ausculta sans perdre un instant. Le vieil écrivain paraissait respirer de façon plus régulière. Vous avez bu et mangé normalement, je suppose, dit-il en jetant un coup d'œil à la table. Toujours ironique, docteur, balbutia Libert. Decaudin le pria de se taire et d'allonger les jambes. Il constata, après avoir baissé ses chaussettes, que ses chevilles étaient gonflées. Je vais vous faire une piqûre de Lasilix. Tendez le bras.

Louise se tenait à l'écart, près de la cheminée. Quelques bouts de bois incandescents finissaient de se consumer. Le docteur Decaudin enfonça l'aiguille dans le bras gauche. Ses gestes étaient doux et contrastaient avec son allure de campagnard rugueux. Il rangea le stéthoscope et le tensiomètre dans sa sacoche, et proposa à son patient de l'aider à regagner sa chambre. Vous resterez assis dans votre lit sans trop bouger. Je passerai demain dans la journée. La jeune dame est avec vous cette nuit ? Oui, naturellement, dit Libert en cherchant Louise du regard.

Elle ne répondit rien. Elle débarrassa la table en attendant que le médecin redescende. Quelle idée de vivre ici, maugréa le docteur en dégringolant l'escalier. Louise voulut connaître son diagnostic. Sa réponse fut évasive. Il le trouvait très faible. Louise le raccompagna jusqu'au perron, comme si elle était la propriétaire de cette vieille bicoque. Le docteur sourit, puis dit : C'est curieux. Très, très curieux. Et il disparut sans aucune explication.

Elle referma la porte d'entrée et monta lentement l'escalier. Elle emprunta le couloir éclairé par une faible lueur venant de la chambre de Libert. Elle frappa avant d'entrer. Une forte odeur de naphtaline la saisit. Il était assis dans son lit, la tête droite, les cheveux en désordre. Son visage était un peu moins rouge. Ses yeux exprimaient non plus la peur, mais le spleen des enfants malades. La crise semblait passée. Il l'invita à s'asseoir sur le bord du lit. Sa voix étouffée inquiéta tout de même Louise. Il fut pris d'une quinte de toux au moment où elle voulut parler. Elle remarqua des poils blancs frisés qui sortaient de l'échancrure de son tricot de corps. Elle n'avait jamais vu de torse de vieillard.

Libert la remercia de rester cette nuit, même s'il était conscient qu'il ne lui avait guère laissé le choix. Il lui proposa de dormir dans la chambre de Laure. Elle s'assura qu'il ne manquait de rien et, avant de quitter la pièce, son regard se porta sur la photographie en noir et blanc posée sur la commode. C'était Libert et le président devant une église romane. L'un était grand et l'autre plutôt rond. C'est Aulnay-de-Saintonge, dit Libert. Une des plus belles églises de France.

Elle sortit de la pièce en laissant la porte entrouverte, traversa le couloir et pénétra dans la chambre de Laure. Une odeur de renfermé l'incommoda. Elle appuya sur l'interrupteur, une petite ampoule qui pendait nue au plafond diffusa une pâle lumière jaunâtre. Elle ouvrit la fenêtre, l'air frais lui cingla le visage, le vent continuait à souffler fort, faisant s'entrechoquer les branches des arbres. Elle se retourna et vit la photo encadrée de Laure. Elle frémit en pensant à Clément ratatiné dans le formol. Impossible de dormir dans cette pièce. Elle prit la couverture, redescendit l'escalier et s'allongea sur le canapé. Le feu mourait dans l'âtre. Elle entendit le vieil écrivain tousser, coincé au premier étage. Et elle s'enroula dans la couverture qui sentait le moisi.

20

Elle avait fait du café et trouvé du pain de mie avec de la confiture et du beurre. Après, elle lui avait servi son petit déjeuner dans sa chambre. Il ne toussait plus et respirait normalement. Son visage semblait plus serein. Il était assis dans son lit, avait lissé ses cheveux avec ses mains, et regardait le soleil derrière les vitres de sa chambre. Elle lui avait donné un pull en V qu'il avait enfilé sur son tricot de corps. Il voulait se lever, prendre une douche et recevoir le journaliste. Elle avait totalement oublié Martin Brunet. Pas lui. Elle lui dit que ce n'était pas raisonnable. Il sourit. Écoutez, je sais ce que je dois faire, répondit-il d'une voix sourde. Ce journaliste vient de Paris, il faut honorer ses rendez-vous. C'est une question de respect. Je voulais d'abord vous remercier d'être restée, Louise. Vous auriez très bien pu partir. Je vais vous révéler un secret. Asseyez-vous au bord du lit.

Louise s'exécuta. Avoir dormi dans cette sinistre maison, avec Libert au premier étage l'avait troublée. Avoir vu la chambre de Laure, surtout. Une chambre avec un vieux lit, une vieille armoire, un papier peint défraîchi. Cette atmosphère était oppressante. Elle comprenait pourquoi Libert suffoquait. Ajoutez à cela un secret…

Rassurez-vous, il n'est plus ici. Il n'est même plus dans son bocal, mon Clément. Je voulais qu'il ait un destin, ce mort accidentel, enfant de l'amour, car au moment de sa conception, Laure et moi, nous nous aimions à la folie.

Un jour que nous nous promenions, le président et moi, dans un petit cimetière de Charente, dont le nom m'échappe, c'était près d'Angoulême – il faut dire qu'il avait la passion des cimetières, il faisait croire le lundi qu'il allait jouer au golf, et il prenait l'hélicoptère pour aller visiter un cimetière… Bref, nous nous promenions, quand il s'est arrêté devant une petite tombe blanche surmontée d'un angelot. Il s'arrêta et me dit : Jacques, où est enterré votre fils ? Après une hésitation, je lui répondis ce que vous savez. Il a cligné des yeux plusieurs fois, son tic chaque fois que quelque chose le troublait, et m'a dit sur un ton étrangement monocorde : Mais c'est terrible. C'est terrible… Je l'entends encore, cette voix maîtrisée mais submergée par l'émotion. Je n'avais pas voulu conduire sa dépouille à l'hôpital, j'avais peur qu'on le brûle comme déchet médical. En disant cela, le regard de Libert s'éclaira d'une manière étrange. Louise pensa qu'il mentait. Que c'était un écrivain et qu'un écrivain ça mentait, ça ignorait le mot vérité. Il avait le regard d'un personnage de Goya. Halluciné.

Nous avons pris la décision de faire une sobre cérémonie, un soir d'hiver. Il y avait un prêtre, le père Huguenin, le chef de la sécurité, et un jardinier avec une pelle. Le président portait son manteau beige. Il ôta son chapeau quand on plaça le petit cercueil dans le trou fraîchement creusé. Le prêtre a dit une prière. Je restai seul quelques instants devant mon fils né et mort presque en même temps, à côté de sa mère endormie pendant qu'il mourait contre elle. Il repose sous le seul figuier du parc. De cette cérémonie plus que discrète, je suis le seul témoin encore en vie. Dans quelques semaines, quand je serai mort, vous serez la seule à savoir, Louise.

Où est-il? demanda-t-elle. Dans le parc de l'Élysée, répondit l'ancien conseiller spécial. C'est le cadeau que me fit le président. Le plus anonyme des êtres humains dans le plus puissant lieu de France. C'est pour cela que, même après ma disgrâce, le président m'autorisait à venir à l'Élysée, la nuit. Je me recueillais devant la tombe invisible, puis je le retrouvais dans ses appartements pour bavarder. Un jour on a cru que

Baltique l'avait déterré. Mais non, le labrador avait seulement tué un canard qui s'était aventuré près du figuier. Depuis, il y a des rosiers tout autour, censés décourager les animaux trop curieux. Il est bien, là, Clément.

21

Louise fumait une cigarette sur le perron. Malgré le soleil et son blouson d'aviateur, elle avait froid. Il était 11 heures, elle guettait la silhouette de Martin Brunet au bout de la route menant à la maison. Elle croyait qu'il serait à l'heure, le coup semblait important pour lui, une interview exclusive de Jacques Libert ! Elle écrasa sa cigarette contre la pierre du perron en pensant que le journaliste s'était dégonflé. C'était risqué, cette rencontre, Libert pouvait s'emporter et flanquer tout le monde dehors, mais elle voulait en savoir plus sur les rapports fusionnels qu'il cultivait avec le président. C'était cet aspect-là des choses qui la captivait. La politique, elle s'en moquait. De toute façon, à part l'abolition de la peine de mort et la multiplication des radios libres, tous avaient oublié les années du premier président socialiste de la Ve République, surtout ceux de sa génération. Et avec son successeur, c'était pire. Le trou noir.

De retour dans la salle à manger, elle fut surprise de trouver Libert en pantalon de flanelle grise et col roulé noir faisant du feu dans la cheminée. Je vais vous aider, dit-elle. Asseyez-vous. Il l'écouta, il avait le souffle court. J'ai pris une douche, lui confia-t-il. Je me sens mieux, même si je n'ai pas trop de force dans les jambes. Je ne me suis pas rasé, cela va faire «tendance» comme on dit, non? Elle sourit. Il regarda sa montre. Le journaliste est en retard, souligna-t-il. Tous, ils se perdent. C'est normal. La route n'est pas indiquée comme effondrée. Alors quand ils voient le panneau impasse, ils ne comprennent plus. Moi non plus, du reste. Quand la maison aura été emportée par la chute de la falaise, l'impasse sera sûrement encore marquée. Comme un remords ineffaçable.

J'aimerais faire un peu de gymnastique comme avant, soupira-t-il. Lorsque j'étais à l'Élysée, je me rendais deux, trois fois par semaine au Quai d'Orsay pour utiliser la somptueuse salle de sport qu'avait fait aménager au premier étage le ministre des Affaires étrangères. Je traversais la Seine en flânant, surtout en avril, pour jouir des premiers rayons de soleil. Je prenais vraiment mon temps. Parfois je bavardais avec le ministre dans son bureau du Quai. Un jour, on a vu apparaître dans une des salles un gigantesque globe terrestre. On s'est regardés, interloqués. Le lendemain, à l'Élysée, le président nous a demandé ce que nous pensions de ce globe. Quel globe ? avait demandé le ministre, irrité car il avait un sérieux problème à régler avec les Américains à propos de Kadhafi qu'ils voulaient supprimer. Eh bien, Roland, vous n'êtes guère curieux. Pas plus que vous, Jacques, ce qui m'étonne davantage de la part d'un écrivain. Laissez deux minutes ces Américains de malheur et allez voir l'objet. Puis vous reviendrez. Allez-y, tous les deux !

Nous traversâmes le pont de la Concorde à pied, mais nous revînmes à l'Élysée avec la voiture de fonction du ministre. Le président avait fait ajouter sur le fameux globe trois lieux chers à sa géographie personnelle : Latché, Solutré et Jarnac. Bien, c'est très bien, dit-il. L'Histoire a besoin de traces, petites et grandes. De lieux qui la nourrissent et entretiennent la mémoire. Elle a besoin également de témoins scrupuleux, vigilants et fidèles, cette dernière qualité étant fort rare. Sur ce, il quitta le bureau présidentiel, raide comme un bâton de pèlerin, précédé comme toujours de l'huissier. C'est à cause de cette habitude qu'il n'ouvrait plus aucune porte. Nous non plus, du reste.

On cogna à la grille. Louise reconnut Martin Brunet. Il se présenta devant Libert en jean, parka, et godillots de chantier. Alors mon éditeur m'envoie un maquignon au lieu d'une délicieuse journaliste à peine

151

sortie de l'école, dit Libert en le priant de s'asseoir. Votre nom ? Brunet, répondit-il en ôtant sa parka sans âge. Martin Brunet. Votre nom me dit quelque chose. Attendez... C'est vous qui avez bousculé le camp de Chirac en révélant le scandale des faux électeurs du Vᵉ arrondissement de Paris. Vous êtes devenu tricard, après. C'était pourtant un beau coup. Mais la droite ne lâche jamais ses proies. Vous êtes un journaliste politique, vous ne vous occupez pas de littérature, c'est évident. Brunet ne répondit pas. Il arborait une chemise à carreaux où dominait le rouge. On aurait dit un bûcheron des Rocheuses. Libert lui proposa un café qu'il accepta. Louise disparut dans la cuisine pour le préparer. Elle semblait être devenue définitivement l'aide ménagère du vieil écrivain.

Vous savez, dit Libert, je vais vous le dire tout net, je n'ai plus de temps à perdre. Mon éditeur vous envoie pour me convaincre de parler du président. Depuis que je lui ai remis le manuscrit de mon roman, il n'arrête pas d'y penser. Vous en êtes la preuve vivante. Votre regard s'illumine, Brunet. C'est donc bien ça, vous êtes venu pour m'interroger non pas sur mon dernier livre, mais sur mon rôle de conseiller spécial. Eh bien, je vais jouer cartes sur table avec vous. J'ai déjà écrit de nombreux passages sur cette fonction que j'ai remplie avec passion.

Brunet, en recevant la confidence, comprit qu'il

était sur le point de réussir son improbable pari. Mais il se garda bien d'interrompre le vieil écrivain. J'ai beaucoup réfléchi depuis que mon cœur est mal en point, dit Libert qui maintenait le suspense. Ça épuise d'écrire, ça disloque, comme la mer disloque la côte, ça creuse les fondations comme ici, et on s'effondre de l'intérieur, d'un coup. J'ai écrit un roman sur ma vie privée. J'ai fait un choix, sachant que je ne pourrai pas écrire sur ma vie d'homme de l'ombre en même temps, ni juste après. Mais en effet, j'ai des chapitres rédigés depuis plusieurs années. Je vous propose donc que vous m'interrogiez sur le président, en vous limitant à l'aspect intime de notre relation, à sa personnalité telle que je l'ai perçue. Vous pourriez appeler ces entretiens *L'oreille et la main*. J'ai vu en lui ce que personne n'a jamais vu. Je suis immodeste. C'est la qualité première d'un écrivain.

Brunet était estomaqué par la réponse maîtrisée de Libert.

Louise revint avec un café et deux verres d'eau, surprise de constater que le journaliste avait mis en route le dictaphone de son smartphone. Je vous présente Louise, dit Libert, elle m'aide dans la relecture de mon manuscrit. Elle est étudiante en philosophie. Mais je vous écoute. Posez vos questions, car je suppose qu'elles sont prêtes. Vous êtes un professionnel. Vous avez ça dans le sang. Louise en profita pour s'asseoir

153

près de la cheminée. Brunet, en effet, avait une multitude de questions à poser, il maîtrisait son sujet par cœur, le sujet d'une vie.

Libert avait décidé de ne pas s'étendre sur les épisodes qu'il avait déjà écrits. Il voulait gagner du temps et traiter des moments qu'il n'avait pas encore abordés. Malgré la fatigue, il répondait avec précision, évitant les détails inutiles, faisant preuve d'un grand esprit d'analyse. Louise écoutait et découvrait non pas des événements historiques, dont elle se moquait, mais des mécanismes psychologiques subtils et des stratégies imparables. Le président, à n'en point douter, était un magnifique joueur d'échecs. Mais ce qui la fascinait le plus, c'était cette capacité à toujours sortir vainqueur de la pire situation.

*

Après l'élection présidentielle de 1965, pour la première fois au suffrage universel, nous savions que le président serait un jour à l'Élysée, dit Libert. En s'opposant à de Gaulle, en faisant près de 45 % au second tour, il s'imposait comme le chef de l'opposition. En mars 1967, pour les législatives, il a rassemblé ses fidèles et leur a dit de choisir une circonscription. Sauf moi. Il me voulait auprès de lui. Pour écrire les discours, les tester, les retravailler. Il fallait que je lui tienne tête, que je trouve des arguments contraires aux siens. Pas que je l'approuve, mais que je lui porte la contradiction afin de dépasser sa proposition initiale. Louise connaît ça. C'est la mise en application de la dialectique hégélienne.

Les événements de Mai 68 ont contrarié sa marche vers le pouvoir. De Gaulle a très finement joué et a piégé le président. On a cru que le général perdait pied face à la chienlit, pour reprendre sa propre expression. Il a d'abord proposé un référendum, précisant qu'il partirait si le résultat lui était défavorable. Le président a alors répondu qu'il était prêt à assumer les responsabilités du pouvoir, en cas de victoire. Il n'y avait aucune précipitation de sa part, comme j'ai pu le lire plus tard. Ensuite de Gaulle nous a fait croire qu'il en avait assez, qu'il ne comprenait plus le peuple français. Il nous a joué le coup du *burn-out*. C'est vrai que ce mouvement généralisé de grogne était pour le moins iconoclaste. De Gaulle aurait filé voir Massu pour qu'il le rassure. J'emploie le conditionnel car je doute de cet épisode. Je crois qu'il s'est caché quelques jours dans Paris, peut-être à la caserne Balard. Pas mal de gaullistes avaient la frousse. Ils se voyaient finis. Le bulldozer Chirac, cheveux gominés et déjà pressé, a même cru que le général avait été enlevé. Il le cherchait partout dans Paris, un flingue dans la poche, avertissant qu'il viderait le chargeur sur le premier casseur qui le menacerait. C'était folklorique ! Seul Pompidou a gardé son calme. Il était impressionnant, cet homme du terroir. Un regard à la fois doux et déterminé, avec quelque chose de mélancolique dans la démarche, comme la brume bleue flottant sur les crêtes du Cantal. Bref, de Gaulle disparu, le président, devant la presse, a dit qu'il n'y avait plus d'État. C'était une erreur. Le général a ressurgi de nulle part, il a entonné le chant du rassemblement et raflé la mise. Les réseaux gaullistes ont fonctionné, Pompidou orchestrant tout ça. Le chef a dissous l'Assemblée. Il a fait défiler ses troupes sur les Champs-Élysées. Malraux a éructé quelques phrases noyées de whisky. Et le tour était joué. Plus de Mai 68, un bon coup de Javel et de serpillière, et notre président à nouveau à terre. La gauche, qui ne pouvait pas blairer le président, en a profité pour lui mettre un coup de pelle sur la tête. La SFIO, l'ancêtre du parti socialiste, lui a même refusé l'investiture. C'était un pestiféré. Et ses fidèles également. Il a quand même sauvé son mandat de député de la Nièvre, en juin 1968, mais il a été contraint de siéger comme non-inscrit. Incroyable, non ? On aurait pu le croire anéanti, comme après l'affaire de l'Observatoire. Il s'est retrouvé parmi les arbres du Morvan, il a médité, puis il a annoncé qu'il fallait créer un grand Parti socialiste et s'allier avec les communistes, première force de la gauche. Une vitalité incroyable et une capacité à ne jamais laisser l'Histoire avoir le dernier mot.

Martin écoutait Libert sans l'interrompre. Il laissait la confiance s'installer. Louise, quant à elle, était étonnée de sa faculté de récupération. Il demanda au journaliste de couper le dictaphone. Il lui proposa de rester déjeuner à condition que Louise accepte de préparer le repas. Il y avait dans le congélateur des plats cuisinés à faire réchauffer dans le four à micro-ondes. Elle n'en revenait pas. Ce type contrôlait tout.

Puis il reprit le fil de la conversation, exactement où il s'était arrêté.

Nous savions, dit-il, enfin nous étions quelques-uns à savoir, qu'il serait le maître de l'Union de la gauche, son chef charismatique, et que le but stratégique serait atteint, à savoir la victoire à l'élection présidentielle, mais sans les communistes qui finiraient par partir. Il fallait en passer par là pour enfin inverser le rapport de forces et débloquer la situation. J'avais compris cela, c'était grisant de savoir que l'homme que je côtoyais au quotidien pouvait atteindre ce but. Il était du reste le seul. Il insufflait, non seulement l'espoir, un espoir absolument pas utopique, mais également une liberté sauvage.

Libert marqua une pause. Il fixa le journaliste et finit par ajouter : D'une phrase, il nous remontait le moral, parfois d'un regard, un regard que sa voix suave et élégante soulignait. Il y avait une telle intensité dans son regard que nous étions subjugués. Nous ressentions alors une force qui nous poussait hors de nous-mêmes. Un café pris avec lui n'était pas anodin. Ce moment de partage s'inscrivait dans un vaste mouvement historique !

Pour la première fois, Louise constata que le bleu de ses yeux brillait.

Quel sacré de coup de maître ! s'exclama Libert. Le fameux Programme commun de la gauche. Ce truc indigeste qu'il n'avait pas lu ! S'allier avec le Parti communiste français, première force de gauche, finir par la rendre seconde, en faisant passer le Parti socialiste devant ! C'était magnifique à vivre, cette descente aux enfers programmée d'un parti totalitaire. Comment vous diriez aujourd'hui, Louise ? Un kiff, c'est ça ?

Louise sourit. Mais c'est le journaliste qui parla. Au congrès d'Épinay, dit-il, le président a fait main basse sur le Parti socialiste. Voyez-vous, Martin, permettez-moi de vous appeler par votre prénom, le président a créé un appareil moderne, capable de gagner la présidentielle. Et vous auriez voulu qu'il laissât cette machine de guerre à des comptables transis ! Oui, il a réalisé un hold-up, en multipliant par dix le nombre d'adhérents de son petit parti, le CIR, et en invitant les amis de Jean-Pierre Chevènement, le CERES, à nous rejoindre à la dernière minute pour être définitivement majoritaire. S'il n'avait pas agi ainsi, on serait encore à regarder les héritiers du gaullisme diriger la France ! La droite se croit propriétaire du pouvoir. Pour vous énerver, Martin, j'ajouterais que le président n'a jamais eu sa carte du PS. Moi non plus, du reste. Il avait une drôle d'allure, à cette époque. Il n'avait pas encore fait limer ses incisives de vampire, il continuait de cligner des yeux quand il s'adressait au public et surtout, il avait ses rouflaquettes de garçon coiffeur marseillais ! Il avait aussi cette manie de toujours sortir son peigne pour se recoiffer avant un rendez-vous important. Mais il y avait la présence, l'incarnation du Verbe. La réalité est fade, Martin, ennuyeuse, mortelle. Vous avez payé pour le savoir. Votre carrière. Bousillée, Brunet. Obligé de vous habiller avec des tenues résistantes car vous n'avez pas les moyens de renouveler régulièrement votre garde-robe. La vérité que vous traquez, elle ne peut être saisie. Elle n'existe pas. Les historiens écrivent de savants ouvrages sur ce qui ressemble à une plage de sable fin. Vous examinez la surface. Mais ce qui compte, c'est chaque grain. Il faut vivre l'instant, ce shoot extraordinaire. On ne sait pas qu'il sera historique. Et quand on dit qu'il l'est, il n'existe plus. Il n'intéresse que les croque-morts. Il ne voulait pas forcément devenir le premier secrétaire du PS, mais il fallait en prendre le contrôle pour préparer l'avenir. Il a modifié le cours des choses. C'était un homme d'exception, et les hommes d'exception rompent avec le déterminisme qui nous neutralise presque tous pour agir sur leur destinée. Il faut y aller à la hussarde. Regardez Sarkozy…

Le journaliste l'interrompit. Louise en profita pour préparer le repas dont tout le monde se moquait, tant Libert était lancé dans la restitution de ses souvenirs.

Sarkozy va être réélu, comme le président en 1988, dit Martin, dont les mains tremblaient un peu. Libert esquissa une grimace d'énervement. Sarkozy, répondit-il, a perdu cette vitalité qui l'a propulsé à l'Élysée en 2007. Il bute sur les mots, il cherche sa place dans l'espace, il a le regard perdu. La télévision amplifie le phénomène d'usure. Il est cuit, cramé de l'intérieur. Il a pris le pouvoir pour un jouet, il s'en est lassé. Si on peut faire confiance à l'homme fidèle à son enfance, il faut se méfier de l'homme infantile.

*

Durant le déjeuner, Libert fut plus silencieux. Il était absent, perdu dans des souvenirs qu'il n'avait pas envie de partager avec ses convives. Il mangea peu et bu de l'eau. Il remercia Louise pour le repas. Il proposa au journaliste de venir dîner le lendemain, si toutefois Louise voulait bien acheter quelques produits frais au village, ce qu'elle accepta sans hésiter. Il lui demanda de choisir un camembert au lait cru chez le fromager, en indiquant qu'il était pour monsieur Jacques. Avant de monter se reposer dans sa chambre, il répondit encore au téléphone. C'était le médecin. Il passerait lui rendre visite en fin de journée. Il avait de la fièvre, il le sentait.

En serrant la main de Brunet, il s'approcha de son oreille et lui murmura : Je déboucherai une bonne bouteille de vin. Vous pourrez la boire entièrement. Je sais ce que c'est que le manque.

Louise et le journaliste partirent en même temps. Ils descendirent le chemin sous un beau soleil froid de mars. Au moment de se séparer et de monter dans leurs voitures, Martin dit à la jeune femme : Je vous remercie. Grâce à vous, le contact est établi. Je pense qu'il va se confier davantage. Il a envie de parler, ça se sent. Le seul hic, c'est son éditeur. S'il l'appelle, il saura que nous l'avons trompé. Vous avez déjà sa réponse, dit Louise. Il aime les gens qui prennent des risques et bousculent les choses programmées.

Elle vit la voiture de Martin dont elle ne connaissait pas la marque. Qu'est-ce que c'est ? demanda-t-elle. Une Chrysler 300C. Plus personne n'en veut de ces bagnoles. C'est un V8, ça bouffe trop d'essence. Les écolos détestent. Je m'en fiche ! Louise fut surprise du ton sur lequel il avait prononcé cette phrase. Elle ne le croyait pas capable du moindre sursaut de

161

colère. J'aime les États-Unis, ajouta-t-il. J'ai roulé des mois entiers sur les routes de l'Arizona, du Nouveau-Mexique et du Texas. Je suis tombé en panne dans la région d'El Paso. J'ai failli crever de soif, sauvé par des Apaches qui ont ri quand j'ai voulu les remercier en leur filant ma toquante de luxe. Le silence de la nature extrême m'a sauvé la vie. J'ai appris qu'on ne dérange pas un caillou en posant le pied dessus. Je suis devenu un caillou. Et dire que Libert me croit alcoolique. J'ai un début de Parkinson, c'est bête, non ? Merci encore, Louise.

Brunet monta dans sa berline noire et démarra lentement. Le bruit du moteur était singulier. Une raucité profonde qu'elle saurait désormais reconnaître entre mille.

Sur le siège passager, celui du mort, en cuir de couleur vanille, était posée une bouteille de bourbon presque vide.

Louise ne monta pas tout de suite dans sa modeste voiture. Elle huma l'air qui sentait la terre humide. Les forsythias étaient en fleurs. Le printemps arrivait.

En ouvrant la porte de son appartement qu'elle avait quitté la veille, son téléphone vibra. Elle ne savait pas que Libert écrivait des SMS : «PRENEZ QUELQUES AFFAIRES PERSONNELLES. INSTALLEZ-VOUS CHEZ MOI. MERCI. JACQUES.»

22

Le médecin était passé vers 18 heures. Il lui avait fait une piqûre de Lasilix et prescrit des médicaments. Il devait impérativement cesser de boire et de fumer. Il lui fallait également beaucoup de repos sinon, à la prochaine crise, il l'hospitaliserait. Libert lui promit, pour la première fois, de se ménager. Il avait plusieurs choses à régler avant de mourir, lui dit-il avec ce sourire si particulier. Je vais vous prêter ce bracelet en caoutchouc, ajouta Decaudin. À l'intérieur, il y a un ordinateur. Vous allez le connecter à votre smartphone. Vous pourrez mesurer votre température, contrôler votre rythme cardiaque, votre pression artérielle, additionner vos réveils nocturnes, votre capacité respiratoire surtout. Passez-le autour de votre poignet. Libert refusa catégoriquement. Pas de surveillance, toubib. J'ai passé l'âge. Maintenez-moi encore un peu en vie, c'est tout ce que je vous demande.

*

À présent, assis dans son bureau, il lisait un nouveau passage de ses mémoires, *Les années où je n'existais pas*, qu'il appellerait peut-être *L'oreille et la main*. Il y avait ces visites dans les cimetières, les églises, les lieux où la mort est palpable. Libert se souvenait de cette promenade dans les rues de Jarnac, les rues de l'enfance du président, encore imprégnées de la présence de sa mère, Yvonne, brune et discrète, et de leur visite à l'église Saint-Pierre. Rien n'avait vraiment changé. Ce village était un point fixe, immuable, rassurant. Ils descendaient dans la crypte aux quatre voûtes d'ogives. Ça sentait la moisissure. L'humidité rongeait les murs comme le cancer rongeait les os du président. Il souffrait mais résistait, voulant à tout prix quitter l'Élysée vivant. Je vais vous dire, Jacques, pourquoi j'aime les cimetières, les gisants, où les lieux comme celui-là, lui avait confié le président. Asseyez-vous sur le banc. Mes jambes ne me portent plus. Et le président l'avait rejoint sur le banc recouvert d'une fine pellicule de salpêtre. Il ôta son chapeau. Il grelottait dans son manteau. Il tentait de contenir la douleur. Je ne suis pas morbide, Jacques. Un peu mystique, certainement, mais pas morbide. J'aime trop sentir le soleil sur mon visage. J'aime trop le spectacle des arbres qui reverdissent en avril.

Avoir la mort présente à l'esprit ne suffit pas, je dois la matérialiser, pour ne jamais oublier qu'elle forme, avec la naissance, les deux ailes du temps. La finitude de l'homme, je dois sans cesse y penser pour ne pas me relâcher, pour ne pas tomber dans la facilité, le découragement, pour ne pas céder à l'événement mauvais. J'ai toujours eu la passion de l'indifférence, sauf pour la mort. Elle me rappelle en permanence le destin que j'ai à accomplir. Et à la seconde où je vous parle, Jacques, dans cette église qui m'est chère, sachez que je n'ai pas encore terminé. Effacer la mort de notre quotidien, comme le fait la société, est une erreur. La mort n'est pas un mensonge. Voilà ce que vous écrirez, si un jour vous vous décidez à écrire sur moi, sur notre relation si singulière. Il ôta son chapeau.

Ses cheveux coupés ras, tout gris, formaient un duvet comme s'il venait de naître. Son corps l'abandonnait progressivement, mais l'intelligence demeurait intacte.

Ici, dit-il d'une voix étouffée, je suis dans le ventre de ma mère, je recommence le cycle de la vie, le désir de recommencement est puissant, très puissant, c'est la pureté retrouvée, c'est l'innocence, l'esprit de l'enfance qui s'offre à vous, à nouveau. Je baigne dans le liquide amniotique. La tête jetée en arrière, immobile, il contemplait les pierres séculaires de la crypte.

«Jamais je n'oublierai cette image» : c'était la dernière phrase du passage que Libert venait de relire. Après cette visite inopinée à Jarnac, ils avaient repris l'hélicoptère. Durant le trajet, le président était resté silencieux, emmuré dans la douleur. Il avait fini par s'assoupir sous l'effet de la morphine.

À son tour, Libert connaissait l'épreuve de la décrépitude physique. Les forces qui vous lâchent, le corps qui craque, la certitude que c'est la fin. Toute cette farce est passée vite, quand même, dit-il à voix haute.

Les souvenirs remontaient à la surface, ça n'arrêtait plus. Il avait écrit un livre autobiographique sur sa vie, sa femme, la création littéraire, la frustration de ne pas avoir obtenu le Goncourt, l'envie de jouir encore dans le sexe d'une femme sans y parvenir, la mort de son Clément, il avait refusé d'évoquer le président, et c'était justement la ronde des souvenirs partagés avec lui qui tournait dans son cerveau. L'église de Jarnac était sous ses yeux, la promenade le long de la Charente, ce ciel soudain très sombre, le petit cimetière, les caveaux noircis par la pluie, le crissement des cailloux sous les chaussures de ville, et puis la tombe de la mère du président. Il m'en a fallu de la détermination, avait dit le président, pour quitter cette bourgeoisie de province si bien décrite dans *Les Destinées sentimentales* de Jacques Chardonne, il m'en a fallu, oui, de la détermination pour échapper à mon milieu d'origine, tout en restant fidèle, je le précise devant le caveau maternel, à mes parents. Je suis l'homme de la rupture. C'est le fil rouge de ma vie, Jacques. En 1968, je n'ai pas cru à cette révolte de la jeunesse, car ce n'était pas toute la jeunesse qui se révoltait, c'était seulement de jeunes bourgeois qui s'énervaient contre l'hypocrisie de leurs parents. En définitive, c'était de la graine de notaire. Je n'avais pas tort de penser cela. Regardez ce qu'ils sont devenus ! Écoutez-les me donner des leçons de morale. Mais que seraient-ils sans moi ? Qu'ils le fassent, leur droit d'inventaire, et dans vingt ans, ils seront toujours dans l'opposition. Personne n'a rompu comme je l'ai fait. De Gaulle a servi sa caste et quand il est devenu trop vieux, la bourgeoisie l'a sorti de l'Histoire, sans états d'âme. Ils savent d'où je viens, Jacques, et ils me haïssent pour cela. À leurs yeux, je suis un traître ! Quant à la gauche, elle vomit mon passé. Mes successeurs voudraient que tout soit blanc, propre, immaculé. Mais il faut être pragmatique. L'œil doit saisir l'immédiat. S'ils savaient que la rose au poing, que j'ai moi-même dessinée, logotype du parti socialiste, évoque le plan d'une église, je crois qu'ils me haïraient davantage. Ils me haïssent tous ! J'ai appris à traverser seul les tempêtes. La solitude, je la côtoie depuis l'enfance. Elle ne m'a jamais fait peur. Quand

167

je rejoignais mon père qui pêchait dans la Charente, il ne me disait rien, pas un mot, je repartais seul, l'estomac noué, les lèvres serrées, j'avançais, quelque chose me poussait à avancer et les angoisses disparaissaient. Vous vous souvenez, Jacques, le premier Conseil des ministres de la cohabitation, en 1986. Ils étaient tous là, autour de la gigantesque table, tous mes adversaires, attendant de me voir craquer. Vous savez à quoi j'ai pensé, Jacques ? Je prends votre bras. Je suis fatigué. Rentrons. J'ai pensé à la libération de Dachau à laquelle j'ai participé. Les milliers de cadavres brûlés au lance-flammes, je les ai revus. Les pendus, les corps en décomposition, les exécutions sommaires de jeunes soldats allemands, sous les hurlements de joie des détenus, parfois jetés vivants dans les fosses. Les Américains, que des Noirs pratiquement, avec leurs masques à gaz pour se protéger de l'épidémie de typhus. La mort partout. L'odeur indicible de la mort. J'ai entendu la voix de Robert Antelme, le mari de Marguerite Duras, il a dit mon prénom, pas crié, il n'en avait pas la force, il était déjà dans le carré des morts, j'ai revu cet homme qui ne pesait plus que 35 kg, je l'ai sauvé, j'ai sauvé ce grand résistant, et je ne les voyais plus, je ne voyais que le corps décharné de Robert Antelme. Ce Conseil des ministres n'était pas une épreuve insurmontable. Il suffisait que je m'évade par l'esprit.

Lors du deuxième Conseil des ministres, tout aussi glacial, j'ai repensé à mon retour en France, en février 1944, lorsque j'arrivais de Morlaix par le train. J'étais gare Montparnasse, je me présente au guichet de sortie et deux policiers m'arrêtent en criant : Contrôle économique ! L'un d'entre eux exige que j'ouvre ma valise. La peur m'envahit, mais je la contrôle, l'essentiel est là, le contrôle, il trouve l'imperméable acheté à Londres, et il voit aussi le revolver qu'on donnait aux résistants, ainsi que le sachet de boules de cyanure. Je regarde autour de moi, je suis cerné, mais je m'apprête à fuir quand même, à rester libre coûte que coûte, quand le policier dit : « Pas de beurre, pas d'œufs. Vous pouvez passer. » Ce souvenir m'est revenu. J'étais inatteignable. C'était presque drôle tous ces visages de haine si inoffensifs, au fond.

En sortant du cimetière, le président me dit encore : Elle avait la peau très douce, Duras, à cette époque.

Il parlait de cette voix douce, très suave, affaiblie par la maladie. Elle n'était plus grave, volontairement forcée, comme celle des années soixante quand il affrontait le vieux de Gaulle et sa voix curieusement aiguë quand il répondait, faussement ulcéré, aux journalistes qui l'accusaient de vouloir confisquer les libertés.

Ça remontait, c'était un fleuve de souvenirs. Libert n'avait pas été mécontent de s'entretenir avec Martin Brunet qui avait été diplomate, n'abordant pas les sujets brûlants, le passage à Vichy, les amitiés scélérates, les 45 nationalistes algériens condamnés à mort dont le président, ministre de la Justice du gouvernement de Guy Mollet, refusa la grâce. Il est vrai qu'il n'était pas son conseiller politique à cette époque. Il ne l'avait même jamais rencontré. Mais lorsqu'il avait appris le passé parfois trouble du président, il était resté auprès de lui, non parce qu'il approuvait ses actes, mais parce qu'il incarnait la désobéissance à l'ordre libéral bourgeois.

Il aurait tant souhaité que Laure prenne définitivement ses distances avec sa famille, le conformisme des idées, l'argent comme valeur exclusive de réussite. Il pensait que leur fils serait élevé dans l'amour des arts, qu'il plaquerait tout pour un lever de soleil sur le mont Sinaï, qu'il pleurerait devant la tombe de Monteverdi recouverte de roses rouges, qu'il ferait sienne cette phrase de Pascal, «La vérité est si obscurcie en ce temps, et le mensonge si établi, qu'à moins que d'aimer la vérité, on ne saurait la connaître», qu'enfin il lirait le roman de son père sur sa femme Laure, *Un hémisphère dans sa chevelure*, court récit passé inaperçu dans le flot des insanités hystériques et nombrilistes de la littérature contemporaine. Mais Laure était restée une Boismoreau, il l'avait détruite sans la changer, leur fils n'avait appris qu'à mourir et lui, il s'asphyxiait lentement.

Son portable vibra. SMS de Louise : «Je viendrai demain avec ma valise.»

Libert sourit. Il savait que demain, il ne soliloquerait pas. Il y aurait Louise et Martin. Cette perspective ne lui déplaisait pas. Avant d'éteindre l'ordinateur, il lut encore cette phrase du président : «L'aveu libère. Reconnue, la faute se rend désirable.» Il ne savait plus de quel livre elle était tirée. Mais là encore, il se souvenait que le président s'était moqué de lui. Il lui avait dit que son nom le poussait à écrire. Pour se *libérer*. Il n'était pourtant pas très attiré par la psychanalyse !

Libert se leva et se dirigea vers la fenêtre. Tout était noir. Il entendait le bruit de la mer porté par le puissant vent d'ouest. Il n'y avait jamais de nuit vraiment tranquille avant juillet. Oui, l'aveu libère, murmurat-il, mais pas assez. Quant à la faute reconnue, elle reste une faute. Je serais plus subtil, lui avait rétorqué le président, assis derrière le bureau du Salon doré, en tapotant le bout de ses doigts charnus, preuve qu'il était irrité. La faute est belle dans la lumière. Elle ennoblit celui qui la confesse. Elle le rend plus grand, à condition qu'il soit déjà grand.»

La faute, la confession, le rachat possible... Le président n'avait pas oublié l'enseignement des religieux séculiers du collège Saint-Paul d'Angoulême, enseignement ductile mais dont le cadre tenait bon. Il devait y avoir chez lui une volupté de la transgression, de l'interdit à briser, toujours cet élan de liberté à éprouver. Tout en condamnant l'argent qui corrompt, il ne détestait pas voir certains de ses amis se lancer dans des opérations juteuses illicites. Il jouissait sûrement par procuration, comme quand on donne une arme à un homme pour voir s'il tirera. On déteste tuer soi-même, c'est répugnant, mais voir l'autre finir par appuyer sur la gâchette, ça, c'est excitant. Il manipulait, contrôlait, orchestrait. Paranoïaque, non sans raison, la moitié de la France était sur écoutes. Tout savoir des faiblesses, des vices, des turpitudes des autres, de tous les autres, car, au fond, il connaissait la nature de l'homme. N'avait-il pas lu Pascal ? La notion de péché restait pour lui une belle trouvaille à cultiver, murmura Libert, face à la mer qui grignotait la falaise sans relâche. Et puis la paranoïa était un excellent remède pour vivre vieux.

Avant de s'endormir, il envoya un SMS à Louise : «ESSAYEZ DE TROUVER SUR LA ROUTE DU HACHIS PARMENTIER, MÊME SURGELÉ. BONNE NUIT. JACQUES.»

23

Morain avait appelé Libert en fin de matinée. Il avait été prévenu par le médecin de son malaise. Quand il avait évoqué une transplantation cardiaque, Libert s'était énervé et lui avait répondu que la vie ne l'excitait plus suffisamment pour envisager une aussi délicate opération. Morain n'avait pas insisté. Il lui avait confirmé que Marie-Anne était bien la candidate de la droite libérale et qu'il l'avait croisée le matin sur le marché de Dieppe. Libert lui avait à nouveau conseillé de mener une campagne tranquille, sereine, en un mot, modérée. Ne pas faire de vagues, lui avait-il dit d'une voix voilée, toujours assis dans son lit. Depuis qu'il le connaissait, c'était bien la première fois que Libert lui suggérait d'utiliser les arguments édulcorés des centristes. Le marais, tu me demandes de prendre modèle sur le marais ! s'était écrié Morain. Je crois que ta raison en a pris un coup.

Mais au moment de raccrocher, il avait reconnu la pertinence des conseils de ce redoutable opportuniste.

Libert s'était surpris à siffler une chanson de Charles Trenet, «Revoir Paris». Il se souvint alors de la campagne présidentielle de 1981, de cette certitude, dans les derniers jours, que cette tentative serait la bonne, comme pour les évasions du président durant la guerre, que ça se sentait dans les meetings, que ça se voyait dans le regard des gens, que, même le président, dans la voiture, sifflotait tellement il y croyait. C'était un frisson permanent. Assis dans son lit, malgré la faiblesse du cœur, Libert n'était pas triste, au contraire, il chantonnait : «Je ne suis qu'un enfant, un tout petit enfant, rien qu'un enfant, tu sais.» Pourquoi était-il dans cet état d'esprit? Parce qu'il allait revoir Louise et le journaliste tout gris et qu'il parlerait de ce qui avait été le sel de sa vie.

Et tout à l'heure, de sa fenêtre, il avait aperçu les premières jonquilles dans le jardin, sous les bouleaux.

*

On aurait pu croire que 1974, c'était l'année du président. La disparition de Pompidou, si brutale, signait la fin d'une époque. C'est ainsi que Libert commença à répondre aux questions de Martin, devant le dîner apporté par Louise. Elle avait trouvé du hachis parmentier comme le lui avait demandé Libert. C'était le plat qu'on servait aux intimes du président, les derniers mois de son second mandat. Avec des œufs pochés en entrée. Un repas pris dans sa chambre, sur la table basse, lui assis dans son transat de cuir noir. Simple, presque spartiate. Le président pensait à finir son mandat, malgré le cancer généralisé. Mourir à l'Élysée : c'était sa hantise. Il dictait également ses mémoires, et luttait contre ses ennemis de toujours qui relevaient la tête au moment où la sienne penchait sous l'épuisement. C'était dépouillé, oui, comme l'avaient été les lieux de son enfance, de sa jeunesse, et la chambre 15 de l'hôtel du Vieux Morvan, dix mètres carrés à peine douche comprise, où il avait appris son élection à la présidence de la République, à soixante-quatre ans. Il pleuvait ce jour-là. Il avait dit à Libert : C'est un peu tard, Jacques. L'âge de rêver est passé. Puis, après un silence, il avait ajouté : J'ai tant d'autres choses à faire.

Louise portait un pull beige et un jean. Elle était naturelle, sans fard. Libert se dit qu'elle avait décidément une belle bouche. Martin avait un costume gris et une chemise blanche, col ouvert. Il s'était rasé. Son visage paraissait plus jeune et plus tonique. Il avait même quelque chose de racé. Sans ce papier sur les combines électorales, Martin serait devenu un journaliste puissant et reconnu. Libert le pensa, mais de nouveau garda pour lui cette réflexion.

Avant d'évoquer l'élection présidentielle ratée de 1974, Libert regarda Brunet finir son whisky et demanda : Qu'est-ce que vous lisez en dehors des livres politiques ? Le journaliste posa son verre, un peu surpris. Je lis des romans américains, répondit-il, en se grattant la nuque. J'aime la littérature américaine. Elle est âpre, dépouillée, haletante. Les auteurs savent raconter et sentent mieux la vie que les Européens, les Français en particulier, trop auto-centrés. J'ai un faible pour Eugene Manlove Rhodes. Pas mal, dit Libert avec aplomb, alors qu'il n'avait jamais entendu parler de cet écrivain. Brunet esquissa un sourire, sans oser le questionner, de crainte de le mettre dans l'embarras et de le contrarier. Il n'est même pas connu aux États-Unis, précisa-t-il néan-moins, sauf dans son pays natal, la région du canyon de Rhodes… Magnifique, interrompit Libert. Porter le nom de son pays. La forêt de Libert. Tiens oui, j'y pense soudain. Une forêt où se cacheraient les âmes des artistes persécutés. J'ai visité le ranch où Manlove Rhodes est enterré, poursuivit Brunet. Le décor est désertique. Le soleil y est dur, et la pous-sière asphyxiante. Je forme le vœu, devant vous, qu'un jour on y disperse mes cendres. Vous parliez des âmes persécutées. La mienne serait alors parmi celles des

Apaches morts. Pour revenir à Manlove Rhodes, ajouta-t-il en regardant Louise, je vous passerai un de ses romans, si vous voulez. Mais aucun n'est traduit en français. Elle acquiesça du regard.

Martin, vous êtes un drôle de type, dit Libert. Mais revenons à l'année 1974.

Valéry Giscard d'Estaing, qui avait tué de Gaulle d'un «Non» glacial au référendum de 1969, était le candidat de la bourgeoisie d'affaires que détestait Libert. Il savait que la bataille serait rude. Il était l'un des seuls dans l'entourage du candidat à le savoir. Tous pensaient que l'heure de l'alternance avait sonné. Le président semblait très fort, avec l'ensemble des forces de gauche qui poussaient pour une fois dans la même direction. Mais il y avait un hic.

Quand Libert prononça cette phrase, Martin retint son souffle. Il espérait le fameux scoop qui lui offrirait sa revanche. Ce qu'on ne savait pas, dit Libert, dans son superbe col roulé noir, c'est que, dans l'euphorie de la mort de Pompidou, le président a fait un enfant à celle que j'appelais alors la Reine cachée… Jacques, interrompit Brunet, vous permettez que je vous appelle Jacques, vous n'allez pas me dire qu'il a conçu sa fille immédiatement après l'annonce de la mort de Pompidou ? Vous pouvez ne pas me croire, répondit le vieil écrivain. Libre à vous. Un mois après cet instant d'euphorie, assez morbide, je vous le concède, quand on en connaît la source d'inspiration, il a su que la Reine cachée était enceinte. Nous étions début mai. À moi, il s'est confié. Nous avions déjà évoqué la paternité, à plusieurs reprises, et je lui avais confié, puisqu'il avait été confronté à la mort de son premier enfant, que j'avais moi-même perdu mon unique fils. À cet instant précis, il regarda Louise, qui rougit. Il m'a dit qu'il allait être à nouveau père, à cinquante-sept ans, et qu'il souhaitait que ce fût une fille. Il était transformé. Jamais, je ne l'avais vu aussi joyeux. La politique est alors passée au second plan. Il ne pensait plus qu'au ventre de cette femme qui chaque jour s'arrondissait. Un enfant de l'amour. De cet amour passion qui durait depuis tant d'années et qu'il ne pouvait révéler puisque la morale bourgeoise, encore elle, le réprouvait. Un non-dit terrible, générateur de frustrations, qui se transformerait en arme redoutable contre lui s'il était élu président de la République. Un futur secret d'État mortel. Il s'est senti soudain vulnérable, lui l'homme sans chaînes. Presque empêché. Un soir, il m'a dit : Jacques, à quoi bon tout ça ? Puis il est reparti labourer le terrain, le discours encore plus lyrique. Mais dans son regard, au-delà de la foule en liesse, on voyait qu'il s'adressait à celle qui portait son enfant.

Giscard savait qu'il avait une double vie. Les agents gaullistes avaient laissé fuiter l'information.

À l'époque, ils le préféraient au président, certes du bout des doigts. Les cartes seraient redistribuées sept ans plus tard. Et le 10 mai 1974, lors du duel télévisé entre les deux tours, ce diable de Giscard a mis un uppercut incroyable, impossible à parer. Il devait savoir que le président lui parlerait de sentiments, de larmes et de cœur. Le cœur, bien sûr. Il n'avait que ce mot à l'esprit, le candidat des opprimés, des condamnés à l'ombre, comme son bel amour au ventre rond. Il était dans un lyrisme exacerbé. Il a même dit qu'il fallait redistribuer la richesse de la croissance, que c'était d'abord et avant tout «une affaire de cœur». Je cite précisément. L'autre l'a alors regardé droit dans les yeux et lui a balancé froidement : «Vous n'avez pas le monopole du cœur.» Moi, son conseiller, qui savais ce que je viens de vous révéler, j'aurais dû lui interdire ce mot et le champ lexical qui va avec. Le cœur, c'est un mot trop intime. On ne peut pas se l'approprier. J'ai été mauvais, mon cher Martin. Très mauvais.

Louise servit le bordeaux. Libert fit signe de la main qu'il n'en voulait toujours pas. Il avait décidé de ne plus boire, de prolonger son existence, du moins de ne pas l'abréger par d'ultimes excès. Il avait encore quelques points à clarifier. Martin, en revanche, se retenait de ne pas vider son verre d'un trait.

Quand vous l'avez vu, après le débat, il vous a dit quelque chose ? demanda Louise. Rien, pas un mot, répondit Libert. Il m'a regardé, simplement. Il avait un regard calme, apaisé. Il savait que c'était perdu. Mais la vie continuait. Son destin ne s'arrêtait pas le 10 mai 1974. Deux jours après la défaite officielle, nous nous sommes échappés le soir pour marcher dans l'île Saint-Louis. Le printemps était puissant. Le soleil déclinait dans un ciel profond, très pur. Vous voyez, Jacques, la gauche arrivera au pouvoir, c'est certain. L'alternance est désormais dans les esprits. La droite n'est pas propriétaire du pouvoir, il suffisait de le leur dire… Je l'ai interrompu : Ce sera la prochaine fois, avec vous. Il m'a répondu, après avoir rappelé son chien : Je ne suis pas obsédé par la présidence de la République. En revanche, j'aime faire bouger les lignes, bousculer ce que l'on prenait pour définitif. Je hais les certitudes. Regardez, moi, je pensais qu'à mon âge, je n'aurais plus d'enfant. Le processus que cela déclenche est incontrôlable. Il faut avoir les nerfs solides, vous savez. Nous nous assîmes sur un banc. J'aimerais avoir une fille, Jacques. Cela serait la plus belle réussite de ma vie. Nous le saurons avant l'hiver, normalement. Après, nous pourrons reprendre la marche vers le pouvoir, lui ai-je dit. Il fixa le fleuve et murmura : Le destin de la Seine est-il d'arroser Paris ou bien de rejoindre la Manche ?

Libert était soudain fatigué. Son visage rappelait à ses invités qu'il était malade et que croire le contraire était déraisonnable. Il voulut prendre congé, mais Louise le relança dans la conversation. Comme il adorait cela, il ne bougea pas de sa chaise. Il posa les deux mains sur la table, bien à plat. De grosses veines bleues circulaient entre de multiples taches brunâtres. Comment celle que vous appelez la Reine cachée a-t-elle pu supporter cette vie clandestine ? dit-elle agacée. J'aurais exigé d'être en pleine lumière, d'exister avec ma fille auprès de l'homme que j'aime. Je ne me serais pas contentée d'une pyramide au beau milieu du Louvre, objet incongru, soit dit en passant. Ses yeux verts brillaient intensément. Ses paroles reflétaient vraiment sa pensée. Elle s'exprimait avec l'honnêteté de sa jeunesse. Avec la passion que lui donnait la fraîcheur de son âme. Libert était admiratif, lui qui avait toujours navigué dans l'ambiguïté, voire le mensonge. Elle a supporté le silence des religieuses, lança-t-il. Louise le regarda, effarée. Je crois, répondit-elle, qu'elle n'a jamais toléré cette situation. Une femme n'accepte pas d'un homme qu'il la cache. C'était une acceptation de façade. Elle devait lui faire de sales colères. Des trucs homériques. Mais vous ne le direz jamais, ça ! Vous avez dû être le témoin d'affrontements terribles qui vous obligeaient à foutre le camp. Ou quand il regagnait l'Élysée, votre président, la gueule chiffonnée, emmuré dans un silence de pierre, vous vous disiez sûrement qu'il en

181

avait pris pour son matricule, et qu'il allait se venger sur vous, les larbins de la cour soumise. Martin finit son verre. Il jubilait intérieurement. Vous imaginez, poursuivit Louise, la douleur qu'elle devait éprouver lorsqu'elle le voyait avec «l'autre» qu'il n'aimait plus, qu'il n'avait peut-être jamais aimée, un mariage de raison, un gage pour la bourgeoisie, un pas obligé pour sa carrière politique, son ambition dévorante, sa volonté permanente et maladive de domination, sa vampirisation dont vous avez été l'une des plus belles victimes, enfin bref, une femme qu'il n'aimait pas, et elle, contrainte de rester seule, à regarder sourire l'homme de sa vie à la télévision, prendre le bras de la légitime, vivre officiellement avec une morte! C'est pire qu'un enfermement carcéral ce qu'elle a vécu, cette femme amoureuse! Aujourd'hui, plus aucune d'entre nous n'accepterait ça.

Elle avait dit nous en redressant sa poitrine.

Louise eut soudain peur d'être allée trop loin dans ses propos. Elle se tut, guettant la réaction de Libert qui ne vint pas. Martin dit une banalité. Puis le silence se fit. Les flammes s'agitaient dans l'âtre. Une grosse bûche s'effondra dans la braise rouge.

Je ne peux pas vous blâmer, dit Libert. C'est très difficile de comprendre un tel amour de plus de trente ans. Mais le président l'écoutait beaucoup. C'était son point fixe. Imaginez cette toute jeune fille rencontrée à Hossegor, sur la plage, en plein été. Lui, l'homme mûr, immédiatement, en tombe amoureux. Ils ont tenu bon, malgré la société, le poids des préjugés, les ennemis politiques, la fonction présidentielle. Il ne pouvait pas divorcer, l'époque ne l'autorisait pas. Vous ne les avez pas vus ensemble dans les ruelles de Venise, par exemple. Elle, entrant dans les églises, se signant, faisant aimer un tableau caché dans la pénombre. Lui, silhouette paternelle, apaisé, heureux de toujours apprendre grâce à son érudition simplement formulée. Il voyait avec son regard à elle, ce n'est pas offert à tous, croyez-moi. Le premier coup de fil, après la proclamation des résultats, en 1981, ç'a été pour elle. Il a composé son numéro dans la cabine téléphonique de l'hôtel du Vieux Morvan. Il n'y avait pas de portable à l'époque. C'était son chauffeur qui lui passait les fiches avec les numéros dont il avait besoin. Le président détestait qu'on puisse le joindre en permanence. Sa voiture ne possédait pas de téléphone. Quand il était en déplacement en province, Libert devait appeler la voiture suiveuse, laquelle faisait un appel de phares à son chauffeur pour lui indiquer l'urgence d'un appel. C'est à contrecœur qu'il cédait à l'immédiateté. Le président s'adressait à son conseiller en bougonnant : J'espère que vous ne m'interrompez pas dans ma lecture pour un problème qui ne relève pas de la raison d'État !

183

Bref, ce 10 mai 1981, continua Libert, j'étais près de lui. La conversation a duré plus de quinze minutes. C'était étrangement sombre comme conversation. Je suppose qu'elle était inquiète. Qu'allait devenir leur couple ? Plus tard, elle a avoué que c'était le pire jour de sa vie.

Le plus émouvant, je crois, c'est lorsqu'il a appris qu'il avait un cancer. Le médecin lui a annoncé la nouvelle. Il n'a pas dit un mot. Pas une ride de son visage n'a bougé. Rien. Il est resté assis. Il a regardé dans le lointain, plus loin que les murs de la pièce où il se trouvait. Le médecin est parti. Il m'a alors murmuré : Je tenais à ce que vous soyez là. Je me doutais de quelque chose. Je suis foutu. Il a prononcé ces trois mots avec un calme sidérant. Je suis sûr que son cœur battait la chamade, mais il se contrôlait. Je n'ai jamais vu un homme contrôler ses émotions comme lui. Il a ajouté, sur le même ton : Appelez-moi Anne, je vous prie, Jacques. Je dois la mettre au courant. Elle fut la première à savoir. Après, il s'est battu, il est allé jusqu'au bout de son histoire avec les Français. Mais sans elle, il n'aurait pas tenu. C'était un grand tourmenté, pessimiste, qui doutait beaucoup.

Louise savait qu'elle avait perdu des points en lui reprochant son asservissement volontaire. Il ne dirait probablement rien, mais il n'oublierait jamais. Où était Anne, au moment de la victoire ? demanda-t-elle.

Dans son petit appartement de la rue Jacob, répondit Martin qui en savait beaucoup. Quant à la femme du président, elle se tient assez loin de lui, sur le balcon de l'hôtel, ce fameux soir du 10 mai 1981. J'ai revu récemment les images. C'était une épouse qui avait le sens du sacrifice, n'est-ce pas ? Libert ne répondit pas. Il avait compris l'allusion. Louise aussi.

Le dîner s'achevait. Martin lui posa encore une question. Une seule alors, je suis fatigué, dit Libert. Dehors le vent commençait à souffler. Louise proposa d'aller fermer les volets. En ouvrant la fenêtre, l'humidité la saisit. Il ne fallait pas avoir d'os pour vivre ici. Elle, elle aimait le soleil du sud. Avec ce ciel bleu où la pluie est une malédiction. Ici, la nuit était profonde et mouillée. De la buée s'échappait de sa bouche. Elle revint très vite vers la cheminée en se frottant vigoureusement les épaules de ses belles mains fines. Libert racontait les obsèques d'un certain Savary. Louise, dit Libert, notre ami journaliste m'interroge sur Alain Savary. Un socialiste, Compagnon de la Libération, homme de convictions, intègre, tellement intègre, qu'il croyait que le parti socialiste lui reviendrait en 1971, au congrès d'Épinay. C'était sans compter, comme je l'ai dit, sur les amis du président qui s'occupèrent de malmener les urnes. Le pauvre Alain

Savary fulminait de s'être fait rouler dans la farine. Le président le récompensa en 1981 en le nommant au ministère de l'Éducation nationale. Avec la réforme de l'école privée, il se retrouva avec un million de manifestants dans la rue. Le président le sacrifia en retirant le projet. Eh bien, quand Savary est mort d'un cancer, en février 1988, le président a décidé d'assister à la messe, malgré le refus de la famille. J'étais le seul de son entourage à l'accompagner. Durant la cérémonie, il n'a pas bougé. Pas un souffle, pas un geste, pas même un clignement d'œil. C'était hallucinant. On aurait dit qu'il portait un masque de cire. Un fauteuil nous séparait. Je n'écoutais rien, ni les discours, ni la musique, encore moins les paroles du prêtre, je ne regardais que lui, froid, intériorisé à l'extrême, inatteignable, très loin de cette cérémonie mais très présent en même temps, par fidélité au compagnon abandonné en rase campagne face à l'adversaire, et trahi devant ses camarades socialistes. Le grand moment, ça a été quand le président s'est levé et qu'il s'est approché des membres de la famille et des Compagnons de la Libération alignés, hiératiques, hostiles. Un frisson m'a parcouru le corps. Tous, je dis bien tous, ont refusé de le saluer et ont détourné le regard quand il est passé devant eux. Le président ne s'est pas démonté, il a marché lentement, les a regardés les uns après les autres, le visage impénétrable, ravalant l'affront jusqu'au plus profond de lui-même. C'était un manteau qui marchait seul, il n'y avait plus de corps, seulement un esprit qui jamais ne plierait, jamais ne se soumettrait. Le chauffeur nous attendait à l'extérieur. Il a tendu au président son chapeau et lui a ouvert la porte arrière de la voiture présidentielle. Durant le trajet du retour, il n'a pas dit un mot. Je n'ai posé aucune question. Sur le perron de l'Élysée, avant que je ne regagne mon bureau, dans l'aile ouest, il m'a murmuré dans un chuintement que je connaissais bien : Je ne souhaite pas que cet épisode figure dans une biographie. Et sa silhouette massive a disparu dans l'ascenseur le conduisant à ses appartements privés.

*

Libert ne dirait plus rien. Martin finit sa prune que lui avait servie Louise. Ils convinrent de se revoir pour poursuivre cette conversation aux allures de confession. Un livre d'entretiens fut envisagé dans le vestibule de la vieille bicoque. Mais le temps semblait se raréfier pour le maître des lieux. Ce n'était pas une posture d'homme malade qu'il prenait pour attirer l'attention. Il était vraiment malade. Un ultime but le poussait cependant à prendre quelques précautions qu'hier encore il repoussait en maugréant. Et puis, il voulait voir comment les critiques accueilleraient son roman à paraître. Il était sorti du système, il ne jouissait plus d'aucune protection politique, il n'était plus rien. Ils le couperaient en morceaux ou, pire, le passeraient sous silence. Mais si Hollande arrivait à l'Élysée, ils le considéreraient peut-être comme la dernière curiosité d'une époque révolue. Comme un socialiste aussi. Ce qui revenait à peu près au même. Car la réalité des échanges économiques ne tarderait pas à les écarter de la scène de l'Histoire. Le président avait éliminé les communistes ; Hollande éliminerait les socialistes. En fait, il y avait toujours un divertissement qui donnait envie de vivre encore un peu.

Louise, n'ayant pu se résoudre à dormir dans la chambre de Laure, viendrait le matin et repartirait le soir. Libert était un peu déçu. Mais elle restait auprès de lui, d'une certaine façon. Cette fille l'intriguait de plus en plus.

24

Il marchait dans le jardin, guettant les premiers signes du printemps arrivé, selon le calendrier, depuis plusieurs jours. Mais, sur la Côte d'Albâtre, il fallait attendre encore un mois pour que la nature explose vraiment. Même l'atmosphère restait froide, sans parfum. Seuls ses rosiers lui mirent du baume au cœur. Si le soleil arrivait à percer, les boutons les plus charnus pourraient éclore avant la fin de la semaine.

Il regagna la maison, alluma machinalement la télévision, et se laissa tomber sur le canapé. Il était essoufflé. Des sifflements provenaient, sa déficience respiratoire s'accélérait. Il n'avait pas bon moral. Il se moquait de la vie et pourtant, il voulait vivre encore, ne serait-ce que pour voir les résultats de la présidentielle. Sarkozy serait battu, il le savait, mais il voulait assister à la première journée de Hollande à l'Élysée. Son regard de professionnel ne pouvait s'empêcher d'être critique. Le candidat socialiste avait piqué les gestes du président, coude sur le pupitre, main qui va chercher la foule, et repris certains thèmes de discours qu'il avait lui-même rédigés. Le texte du meeting de Carmaux, patrie de Jaurès, du 9 novembre 1980, il s'en souvenait comme si c'était hier, Hollande s'en était plus qu'inspiré. Mais le président avait une force inégalable, qui venait non seulement de la puissance du corps mais également des épreuves qu'il avait surmontées. Il avait la chair de poule quand le président, bras tendu, ferme, énergique, avait déclaré : Je suis libre. Libre de tout ! Hélas, le candidat de 2012 manquait de souffle, il puisait trop dans ses ressources, ça se voyait. La voix se raréfiait comme l'oxygène en haut du sommet. Sa diction était mécanique. Tout était soudain heurté en lui. Il se vidait de sa substance physiologique, il se désincarnait. Il était temps que le match finisse. La grâce s'absentait. C'est terrible quand elle déserte un leader politique. Peut-être ne l'avait-elle jamais habité. Les Français souhaitaient un peu de calme après l'ouragan Sarkozy. Sinon... De toute façon, Libert n'avait pas apprécié le slogan de l'homme normal. Plus exactement, il avait cru au début à un trait d'humour de la part de Hollande. Mais très vite, il avait compris que tout cela était sérieux, démagogique et, pour tout dire, dangereux. Car la fonction présidentielle était tout sauf normale.

Hollande, une fois sous les lambris du palais de l'Élysée, s'en rendrait vite compte. Ce concept lui reviendrait alors en pleine figure.

Il regardait BFMTV. Le discours du président sortant se radicalisait jour après jour. Il chassait désespérément sur les terres de l'extrême droite. Une grave erreur, car ce qu'il avait fait en 2007, à savoir séduire les électeurs du Front National, pour les trahir aussitôt élu, ne se reproduirait pas cinq ans après. Une réélection se gagne au centre, en unissant le pays, pas en le fracturant. Le président avait magistralement orchestré sa victoire de 1988. Libert en parlait d'autant plus librement qu'il avait participé de loin à cette campagne. Le président voulait se prouver qu'il était capable physiquement de faire un second mandat, d'être réélu, malgré une France à droite, de rester au pouvoir plus longtemps que de Gaulle. Un face-à-face avec lui-même. C'était un enjeu trop personnel, terriblement égoïste. Ça n'excitait plus Libert. Il craignait les progrès inévitables de la maladie, la lente agonie, la valise à médicaments inutile, l'énergie qui tombe, le cynisme qui assèche le cœur, la souffrance qui enferme.

Lors d'une conversation téléphonique, Libert raconta à Martin qui l'appelait chaque matin, le voyage en Égypte, en décembre 1987. Le président avait décidé de gravir le mont Sinaï, là où Dieu avait confié les Dix Commandements à Moïse. Malgré le cancer et la douleur, les cailloux, le froid, la nuit, il était parvenu au point sacré. Il avait testé sa résistance sous les hourras des touristes espagnols qui l'avaient reconnu. Il se tenait, là, droit dans ses chairs meurtries, la volonté intacte, à guetter le soleil se lever. Un disque jaune, des rayons orange, une lumière de plus en plus vive, le paysage grandiose que l'on découvre au fur et à mesure qu'il se caramélise. Le silence. L'intensité. Le mystère de la vie. À cet instant précis, la tricherie n'était pas de mise. Libert, comme les quelques amis présents, comprit immédiatement : le président serait candidat à sa propre succession. L'invisible avait délivré son message. Martin manifesta sa surprise. Libert ne répondit rien. Ce n'était plus de l'ordre du rationnel.

Mais le président avait su mélanger habilement pragmatisme et irrationnel. Libert disait cela en voyant les thèmes abordés par Sarkozy dans les extraits de meeting à la télévision. Le cancer de l'extrême droite rongeait les forces vives de la droite traditionnelle. Elle se déterminait par rapport aux thèmes du FN. Elle n'en sortait pas, et quand elle voulait en sortir, une partie du corps électoral restait irrécupérable. Le président avait délibérément fait entrer les députés frontistes, lors des législatives de mars 1986, en adoptant seulement un an avant le mode de scrutin proportionnel. Un coup de tonnerre dans les consciences pures de la République ! Cela avait permis de limiter la défaite de la gauche, sans éviter toutefois une nouvelle cohabitation avec la droite. Mais il avait inoculé la maladie et elle continuait de progresser. Elle finirait par l'emporter puisque Sarkozy avait détruit les dernières défenses immunitaires. Sarkozy était en quelque sorte le fils naturel du président. Et ça, pour Libert, c'était jubilatoire.

Il s'était pourtant opposé au changement de mode de scrutin. La conversation avait été âpre entre le président et lui. Pour une fois, il avait prononcé le mot de morale. Vous n'allez pas me quitter comme Rocard a quitté le gouvernement, avait lancé, irrité, le président. Ils n'ont que ce mot-là à la bouche ! Faire monter le FN, ce n'est pas lui donner les clés du pouvoir. Ce qu'il faut apprécier, c'est sa capacité de nuisance.

Libert se souvenait que le président était fatigué, plus livide que d'habitude. Son visage était amaigri, l'arête du nez très mince, la voix sans couleur, les cheveux rares sur le haut du crâne fripé. Il y avait de la lassitude en lui, presque de l'épuisement. Le lyrisme avait déserté ses phrases. Il se dénudait sous l'événement. C'est à ce moment-là que je me suis dit, pour la première fois, qu'il n'aurait pas dû se représenter.

Libert venait de prononcer cette phrase à haute voix devant la télévision qui diffusait la fin du discours du président sortant.

Ne pas se représenter. Inimaginable. Quand on détient le pouvoir, on fait tout pour le garder. Tout. Même lui, Libert, il n'avait pas remis sa démission. Il voulait rester auprès du président. On ne quitte pas un homme d'exception. Et puis, le parti communiste, lors des législatives de mars 1986, était tombé sous la barre des 10 %. Le déclin irrémédiable du PC consolait un peu Libert de ne pas avoir obtenu le Goncourt.

*

Morain l'appelait régulièrement pour lui parler de sa future campagne. Il tentait toujours de lui soutirer quelques précieux conseils. Il jouait sur sa haine des Boismoreau. Le médecin passait tous les trois jours pour évaluer son état de santé. Les nuits raccourcissaient. Sa vie faisait de la résistance. Puis un matin, Dominique Salberg l'appela. Il avait fini *Un léger remords*. Jacques, commença-t-il très amical, je ne savais pas que vous aviez eu un enfant. C'est terrible la mort de Clément. Mais il y a plus dur encore, c'est la mort de votre femme. Vous écrivez sans la moindre ambiguïté que vous n'avez rien fait pour la sauver. Il y a quasiment non-assistance à personne en danger. Pire, vous dites que c'est votre attitude qui l'a poussée sur ce chemin. Cet aveu va vous valoir les pires ennuis.

Libert écoutait la voix de Salberg dans le haut-parleur du téléphone portable, sans rien répondre. Je me doute que vous avez réfléchi aux conséquences, poursuivit-il. Mais il va falloir changer le titre. Il faut l'appeler *Confession* ou *Le coupable*. Enfin tout, sauf *Un léger remords*. Réfléchissez. Vous avez encore un peu de temps, dit Salberg. Quant à l'interview sur France 5, je l'ai annulée. Avec une telle mise à nu, je vais essayer d'avoir le journal de 20 heures. Ne dites pas non !

Libert resta muet.

25

Morain avait fixé rendez-vous à Louise à la mairie, à l'heure où les téléphones s'ouvrent aux conversations personnelles… Il lui tendit un verre d'eau et s'assit sur une chaise à côté d'elle, les jambes écartées. Il avait ôté sa cravate, ouvert le col de sa chemise. Il transpirait, paraissait fourbu. Louise crut qu'il allait encore lui parler de Libert. Il n'en fut rien. Il avait une proposition à lui faire : il voulait, s'il était élu député, qu'elle devienne son attachée parlementaire. Elle but un peu d'eau. Elle le remercia de sa confiance, mais elle préférait poursuivre ses études de philosophie, et se consacrer à la préparation du CAPES. Il insista mollement, il savait que le travail qu'il lui proposait n'était garanti que cinq ans et encore… Louise ajouta qu'elle n'était guère attirée par le monde de la politique. Elle préférait la spéculation à l'action. Elle lui cita même la phrase de Stendhal : «La politique, dans une œuvre littéraire c'est un coup de pistolet dans un concert.» Morain sourit, il se leva et déclara que, de toute façon, c'était un milieu très violent et qu'elle avait raison de refuser sa proposition. 50 % de mensonges, 50 % de persuasion, ajouta-t-il, et la mémoire hémiplégique des électeurs fait le reste. Vous êtes aussi cynique que Libert!, s'exclama Louise, mais la différence avec lui, c'est que vous ne croyez pas complètement à ce que vous affirmez. Morain marchait de long en large dans son vaste bureau, dégageant une puissante odeur de transpiration. Discrètement, elle jeta un coup d'œil à sa montre. L'heure tardive la rassura. Il allait très certainement mettre fin à l'entretien.

Au fait, comment va Jacques? demanda-t-il en s'approchant d'elle. Je veux dire, réellement. Louise expliqua qu'un journaliste l'interrogeait actuellement sur sa vie de conseiller spécial, et que cela pourrait prolonger sa vie jusqu'à la fin de ce travail. Elle avait vu de la passion dans son regard quand il évoquait ce passé-là. Morain fut surpris d'apprendre que son ami Libert acceptait de parler du président. Pourrais-je, à mon tour, vous poser une question à son sujet? demanda-t-elle. Morain fit oui de la tête. Qu'est-il arrivé à sa femme? Le maire se rassit en face d'elle. Il semblait épuisé soudain. Les traits de son visage tombaient en direction du cou, ceinture de gras. Elle est morte en 1990. Oui, déjà vingt-deux ans. Elle avait quitté Jacques depuis plus d'un an quand elle est revenue, comme ça, apparemment sans raison, ou du moins pour une raison que j'ignore. Ils ont parlé toute la soirée et une bonne partie de la nuit. Elle avait beaucoup bu. Puis, selon Jacques, elle s'est brusquement mise en colère, elle l'a insulté et menacé avec un couteau de cuisine…

Pourquoi ? interrompit Louise. Seul Jacques a la réponse. Il est parvenu à lui faire lâcher le couteau. Alors elle a quitté la maison, a couru sur le sentier qui longeait le bord de la falaise, je dis «longeait» car il n'existe plus aujourd'hui. Libert a fini par la rattraper mais, quand il s'est approché d'elle, elle s'est jetée dans le vide. Il a entendu un très long cri, puis plus rien. L'autopsie a révélé un fort taux d'alcoolémie, a confirmé la prise de plusieurs tranquillisants, un fameux mélange… Les gendarmes ont vérifié les empreintes de pas dans la terre. Elles n'étaient plus très nettes, il avait plu durant la nuit, mais ils n'ont relevé aucune trace de lutte. Ils ont cru Libert. Laure s'est suicidée dans un accès de folie. J'en ai marre de cette affaire, lâcha-t-il, en guise de conclusion.

Puis il se leva, coupa net l'entretien. Il la raccompagna jusqu'à la porte principale. Quand il aperçut le maire, le vigile le salua. Appelez-moi demain, dit Morain à Louise. Et il la regarda partir, toute fine et déterminée, dans son imper qu'elle venait de nouer à la taille.

26

Libert était assis devant son ordinateur. La fenêtre entrouverte laissait filtrer une odeur de varech. C'était marée basse. Le vent ne soufflait plus. Il bruinait. Il ouvrit le fichier intitulé *Un léger remords*. Avec la souris, il fit défiler le texte jusqu'à la page 357. Avant, il aurait allumé une cigarette et bu une gorgée de whisky. Il se contenta d'un peu de thé très clair. Un poids sur la poitrine l'oppressait. Il respira longuement, et il se relut :

Laure était accroupie devant la cheminée et surveillait les pommes de terre qui cuisaient sous la braise. Je préparais la pièce de bœuf, j'avais débouché une bouteille de Gruaud-Larose. Elle riait, elle était gaie, légère, et ne cessait de me répéter que l'Italie lui avait sauvé la vie. Elle avait déjà beaucoup bu, du chablis, du champagne, elle voulait à présent du vin rouge, elle avait faim, je ne l'avais jamais vue comme ça, si détendue, si frivole, peut-être au début de notre liaison, et encore, le premier soir, à Venise, quelques jours seulement, guère plus. Je n'osais lui demander ce qu'elle avait fait pendant un an, après m'avoir si brutalement quitté. Avait-elle vécu seule ? Elle sourit à cette question. Elle me répondit qu'elle avait eu de nombreux amants, qu'elle s'était beaucoup masturbée également, qu'elle aimait ça, qu'elle connaissait parfaitement son corps, qu'elle savait se faire jouir, très vite, ou lentement, suivant l'intensité du désir.

Elle parlait sans la moindre gêne, en retournant les pommes de terre avec la longue pince de fer forgé, comme si je n'étais plus son mari. Mais tu n'es plus mon mari, me rétorqua-t-elle d'une voix sereine. C'est ce qu'elle était venue m'annoncer, elle demandait le divorce, ne voulait pas de scandale, souhaitait reprendre sa liberté juridique comme elle avait retrouvé le goût de vivre, sans moi. Tu vois, Jacques, même les patates, je ne les trouve plus écœurantes. Je fulminais, j'avais perdu la partie, elle me quittait, définitivement. Elle pouvait me battre sur mon terrain, avec mes propres armes, elle était capable de se saouler par plaisir, de me dire ce qu'elle ressentait en direct, d'employer les mots les plus crus, son regard était bouleversant de sincérité, c'était une femme épanouie, belle comme un fantasme de peintre, une hallucination de poète, un rêve de vieillard sur son lit d'hospice, enfin tout ce que vous voulez. Elle vibrait à tout ce que la vie offrait de plus sublime, et moi, je ne vibrais plus à rien sans elle. Elle noua ses cheveux sur sa nuque. Elle savait que je l'aimais ainsi, le visage dégagé. Ses yeux bleus, ultramarins comme je l'avais déjà écrit, semblaient cependant voilés d'une brume médicamenteuse. Je lui en fis la remarque, elle me répondit que oui, elle prenait encore des drogues, que c'était la dernière trace, le dernier avatar, la dernière séquelle des saloperies que je lui avais fait endurer, mais que c'était presque fini, qu'elle en voyait le bout, que la dépendance serait désormais de courte durée, que sa volonté était en train de triompher de mon emprise psychologique. Elle me provoquait. Peut-être pas. Je ne savais pas. Je ne le sais pas davantage aujourd'hui. Elle jouait. Non, elle ne jouait pas. Elle avait toujours été authentique, elle s'en sortait, elle reprenait possession d'elle-même. Elle gagnait un combat que j'avais cru qu'elle perdrait. Elle le gagnait contre moi, le pervers manipulateur.

Je ne voulais pas qu'elle reparte. Sa décision semblait irrévocable. Elle sortait du feu les patates, elles étaient cuites, leur peau éclatée et dorée, elle se foutait de ma gueule, elle était ivre, grisée comme le taulard libre, elle était insupportable.

Nous avons dîné, je n'ai presque plus parlé, je la faisais boire, j'étais allé prendre des barbituriques dans sa chambre, elle ne s'était même pas rendu compte que j'avais quitté la table, les bûches flambaient, le sang bouillait dans ses veines, elle voulut sortir, je veux respirer l'air frais, balbutia-t-elle, les lèvres alourdies d'alcool, elle désirait me dire quelque chose d'important, je m'en moquais, je la pris par le bras, elle titubait, j'ouvris la porte, nous étions enfin dehors, je la lâchai, elle marchait vers la route.

Laure déambulait devant moi, dans le froid, la brise finissait de l'étourdir, de la buée blanche s'échappait de nos bouches, la lune était pleine, la route ressemblait à du marbre, des nuages gros comme des cargos glissaient dans le ciel pas totalement noir, les arbres avaient des troncs métalliques. Elle avançait vers le bord de la falaise, je ne disais rien, elle tomba dans un trou, je l'aidai à se relever, son tailleur était maculé d'argile, elle riait et pleurait en même temps, elle n'était plus vraiment consciente, elle lâchait des bribes de phrases dont le sens m'échappait, elle longeait le bord de la falaise. Elle s'approcha du vide, me tendit la main, une main menue et tremblante, je vins vers elle, ses yeux étaient larges, comme transparents, ils ressemblaient à ceux de Joan Crawford, ses paupières étaient gonflées, elle me sourit en me tendant la main. J'ai regardé vers le ciel, j'ai regardé vers l'abîme du ciel, nous étions au bord de la falaise, au cœur du printemps glacial, j'ai regardé sa main que je n'ai pas saisie, alors elle s'est approchée du vide, et elle a glissé sur le sol lisse, disparaissant d'un coup. Elle a crié, son cri s'est perdu dans la nuit. Je n'ai pas entendu son corps se fracasser contre les rochers. Comme je n'ai pas saisi sa main.

Libert ne voyait plus son texte. Il ne voyait même plus l'ordinateur. Il n'y avait plus que le corps de sa femme qui disparaissait sur le chemin menant à la falaise. Il était là, tétanisé, incapable de bouger, de dire un mot.

Il fallait que ce livre sorte vite. Il effaça le nom du fichier par *Le soleil et l'ombre*.

En mettant un peu de musique, il trouva déjà un CD dans la minichaîne. Pourtant il ne se rappelait pas avoir écouté récemment «À ma manière» la chanson de Dalida. C'est alors qu'une image lui vint à l'esprit : le président monte dans sa voiture, une rose à la bouche, enlevant son écharpe beige, sous les cris de joie des militants socialistes. Ce geste était magnifique. Il aurait pu jeter la rose ou la tendre à l'un de ses collaborateurs. Non, il la prit dans sa bouche pour l'emporter avec lui.

27

Il était habillé comme d'habitude : costume fil à fil gris anthracite, chemise blanche ouverte, pull en V noir. Il reprenait un passage consacré au président. Il écoutait d'une oreille distraite le *Magnificat* de Vivaldi. Dehors, le ciel s'épurait doucement. Il cherchait dans le dictionnaire le sens exact d'un mot qu'il considérait avoir employé abusivement. Eh voilà, j'avais tort, maugréa-t-il, bon sang que c'est dur ce matin. Tout cela sent l'effort.

La voix de Louise, qui résonna dans le jardin, le délivra. Elle dit : Bonjour, je ne suis pas trop en retard ? Il répondit : Tout va bien, entrez. Elle s'assit dans le canapé du salon. Il lui proposa une tasse de café, un café léger, à l'américaine, précisa-t-il. Elle le trouvait de bonne humeur. Son regard exprimait la sérénité. Elle lui en fit la remarque. Il servit le café sans répondre. Elle portait un jean et un col roulé blanc très fin. Le soleil entrait par les fenêtres. Je crois qu'il va faire beau, dit-il enfin, j'avais tort de craindre la pluie. Nous allons pouvoir sortir. Le jardin doit déjà avoir changé d'aspect, répondit-elle en prenant la tasse de café. Faisons un tour en voiture, dit-il. Avec ma voiture.

Quelques instants plus tard, il sortait du garage une auto de couleur rouge que Louise n'avait jamais vue. Il s'agissait d'une Alfa Romeo deux portes dont le pavillon formait un dôme assez curieux. Il lui apprit que cette voiture, dessinée par Nuccio Bertone et commercialisée en 1960, portait le nom de Giulietta Sprint Speciale. Elle monte à 200, dit-il fièrement. Voulez-vous la conduire ? Louise, un peu mal à l'aise, n'osa pas refuser. Elle s'assit donc au volant, remarqua la position du levier de vitesse, presque à l'horizontale, ainsi que le rétroviseur planté sur le tableau de bord. Elle accéléra, le bruit rauque du moteur l'intimida. Il y a cinq rapports, souligna Libert. Roulez doucement au début, attendez que la température de l'eau soit à 80°. Louise descendit la côte en première et s'arrêta devant la chaîne qui bloquait le chemin. Ne bougez pas, je m'en occupe, j'ai la clé. Elle imagina Libert avec vingt ans de moins, à la place où elle se trouvait, roulant dans les rues de Paris, revenant d'un cocktail, accompagné d'une femme féline, une journaliste en vue, brune BCBG, préparant la bio du président, maîtresse d'un soir pour le fantôme de Casanova. Il reprit place à l'intérieur de l'auto, le souffle court. La voiture roula sur la chaîne. Vous auriez dû me laisser faire, dit-elle. Ça va très bien. Prenez la direction du phare d'Ailly. Attention à la première, elle craque un peu.

La route, ourlée de talus aussi hauts que des digues, serpentait à travers la campagne. Le capot rouge donnait à Louise une impression de puissance. À chaque accélération, elle regardait furtivement le compte-tours situé à la place de l'indicateur de vitesse. Elle se délectait de voir l'aiguille grimper si vite. C'était grisant. Il lui montra un champ où l'hélicoptère du président s'était posé. Il est venu me rendre visite, expliqua-t-il, en juin 1995. Il venait de quitter le pouvoir. Avant de mourir, il avait voulu me parler. Pas au téléphone. En face, pour reprendre son expression. Je vous raconterai l'entrevue. Notre dernier rendez-vous. Enfin, non, l'avant-dernier, puisque je l'ai vu sur son lit de mort. Puis il se tut.

Lorsqu'ils arrivèrent à Pourville, il rompit enfin le silence en lui expliquant qu'Aragon avait écrit ici, en 1927, son fameux *Traité du style*. Il l'a écrit là son bouquin, en quelques semaines, à raison de dix pages par jour. La révolte, ça transcende un être humain. Je pensais que vous détestiez Aragon, répliqua Louise. Il a été un ardent défenseur du système stalinien, et votre roman *Destination Magadan* est un formidable témoignage sur les atrocités du régime. Aragon s'est repris, dit Libert. Après 1968, il a favorisé le rapprochement entre communistes et socialistes. Il a donné des signes de changement dans son journal *Les Lettres françaises*, ce qui nous a permis d'entrevoir la possibilité de l'union des gauches, passage obligé pour conquérir le pouvoir. Il a également été le premier à lancer le nom d'Auschwitz dans l'un de ses poèmes, en septembre 1943, je crois. Il est né dans une famille bourgeoise, assez aisée. Il est allé vers la gauche la plus radicale, certes aveuglément, mais il a eu cette volonté de quitter les valeurs de sa famille. Je dirais qu'il a eu le courage de rompre. Et vous savez, Louise, ce qui compte chez un écrivain, ce sont les livres qu'il a signés. Tiens, allons voir le Manoir d'Ango, faites demi-tour.

Louise lui demanda pourquoi il n'évoquait jamais sa propre famille. Elle avait osé poser cette question tant il semblait détendu, presque serein. Ma famille, sourit Libert. Je l'ai oubliée à la mort de ma mère, le 26 juillet 1976, en pleine canicule. C'était une femme austère qui ne vivait que pour moi. Elle avait décidé que je serais médecin, avocat, enfin une profession qui la rende fière de son unique rejeton. Mon père qui était un gros industriel a veillé à ce que je ne manque de rien mais, en échange, je devais rester en dehors de sa vie. Il vendait de tout, partout, à tous. Il a même réussi à vendre les galets de la plage de Dieppe à Colgate pour en faire de la pâte à dentifrice ! Il est mort juste avant que je sois bachelier. Je conserve le souvenir de quelques promenades dans ses grosses berlines, de sa mine toujours bronzée et de ses polos Lacoste blancs. C'est peu. Je me suis donc construit sans figure paternelle. Vous comprenez mon attachement au président. Freud a bien décrit cela, il me semble. Allez, soyons légers. Je ne voudrais pas que son ombre pèse sur mes derniers jours.

La promenade erratique dura toute la journée. Au manoir de l'armateur Jehan Ango, il lui apprit que Breton et Aragon y avaient séjourné en même temps. Dans la petite auberge où ils faisaient une halte, Libert lui apprit encore que, tous les soirs, Aragon lisait quelques pages du traité à un Breton hilare. Aragon, lui, poursuivait sa liaison destructrice avec Nancy Cunard, la volcanique fille du patron des lignes maritimes britanniques. On dit qu'elle l'aurait trompé à Dieppe, peut-être avec Breton, le genre de blessure qui cicatrise toujours mal. Mais je vous ennuie avec ces anecdotes. Au contraire, Louise l'écoutait avec intérêt. Elle commanda un verre de cidre et, fixant ses yeux bleus, dit : Vous lui racontiez tout ça à votre femme ? Au début, oui. Nous avions des discussions pleines de ferveur. Elle ne connaissait guère la littérature du XXᵉ siècle. Je lui ai conseillé quelques auteurs qui me paraissaient avoir du souffle. Je lui ai fait découvrir également les littératures japonaise et américaine contemporaines. Hemingway notamment. Mais nos discussions n'étaient pas à sens unique, croyez-le bien. Au début, c'est toujours magnifique. Mais il faut évoluer ensemble, si possible au même rythme. Ainsi l'amour dure-t-il bien plus longtemps que trois ans... Il dure la vie entière. C'est plus fréquent qu'on ne croit. Laure n'a jamais évolué, elle est restée figée dans ses principes. Je l'ai compris trop tard. Je n'ai fait que la tourmenter, la déstabiliser. À la mort de notre enfant, tout était joué. On aurait dû se séparer.

Il marqua une pause. Il attendait une réaction de Louise qui passait machinalement la main dans ses cheveux. Son rouge à lèvres prune soulignait le contour régulier de sa bouche. Elle avait de très beaux yeux. C'est un atout majeur chez une femme. Les yeux d'une femme ne vieillissent jamais. Je sais comment est morte Laure, lança Louise. Et qui vous a renseignée ? Morain. Et que vous a-t-il raconté ? Elle s'est jetée de la falaise, une nuit de désespoir absolu, vous n'avez pas pu la sauver.

Il régla l'addition, en espèces comme d'habitude (jamais elle ne l'avait vu présenter une Carte bleue), et il sortit sans dire un mot. Louise le suivit. De dos, bien qu'il fût un peu voûté, on lui aurait donné guère plus de cinquante ans. Il restait souple et massif. Presque rassurant.

28

Libert était au volant de l'Alfa Romeo. Il ne conduisait guère plus vite que Louise. Ils traversèrent Varengeville, puis obliquèrent en direction du parc des Moutiers où, derrière de hauts murs, poussaient des dizaines de variétés d'arbres très rares. Il aimait les arbres. Il leur parlait. C'est splendide, murmurat-il, surtout en octobre, quand l'automne fait flamber le feuillage.

La voiture passa devant l'entrée du parc et continua sur la route de plus en plus étroite. Il coupa le moteur 500 mètres plus loin devant un mur de pierre derrière lequel se dressait une petite église entourée de tombes. Louise était restée muette depuis la sortie de l'auberge. Ils descendirent de l'auto. Le vent s'était levé. La marée montait. Les nuages blancs s'activaient dans le ciel. Elle remarqua un vieux pommier désarticulé au milieu d'un pré à vaches. Il était déjà entré dans le cimetière, elle pressa le pas pour le rejoindre. Le terrain était pentu. L'église, accrochée à la falaise, semblait un défi paradoxal à la mort. Toutes les croix étaient tournées vers la Manche. Les falaises formaient un arc de cercle grignoté seulement par Dieppe. La lumière commençait à décliner. À l'horizon, le bleu du ciel se confondait avec la mer. Louise longea plusieurs tombes, celle de Jacques-Antoine Dunois notamment, grognard du 57e régiment de ligne, quatorze ans sous les drapeaux. Des admirateurs anonymes avaient fait graver dans la pierre le nom des batailles napoléoniennes auxquelles il avait participé, c'est-à-dire presque toutes. Libert marchait devant Louise qui le suivait à distance. Il s'arrêta devant le tombeau de Georges Braque. Elle s'approcha à son tour et vit, incrustée dans le chevet, une mosaïque représentant un grand oiseau blanc-gris aux ailes déployées. Au-dessus de cette sphère qu'on appelle la Terre, la mort le foudroie et l'anéantit en plein vol, allégorie de la destinée des hommes. À sa droite, une sépulture de marbre noir où était inscrit en lettres dorées le nom de Boismoreau. Parmi les cinq prénoms, celui de Laure n'y figurait pas. Il releva le col de son imper, se remit à marcher lentement jusqu'au bout de l'allée, où il s'arrêta de nouveau. Le vent du nord agitait ses cheveux blancs. Libert ne bougeait pas. Il était face à une tombe de granit, sans fleurs ni croix, mains derrière le dos. Des images troublantes s'échappaient de sa mémoire. Il se crut un instant dans le cimetière de San Michele, à Venise, cerné par toutes ces tombes aux croix penchées, dévorées d'herbe, absorbées par le sol. Avec Laure, ils avaient fait l'amour sur la tombe du poète Ezra Pound, envahie de lierre. À Varengeville, les croix étaient droites, les sépultures entretenues, le gravier propre, le chaos banni.

Il s'écarta légèrement. À son tour, Louise se figea devant la masse de granit. Elle lut : Laure Libert, décédée le 20 avril 1990. Pas de date de naissance. L'inconnu qui passait par hasard ignorait si la morte était une jeune femme ou une grand-mère centenaire. Ainsi était évité l'apitoiement factice pour une défunte fauchée avant la quarantaine pleine de promesses.

Ultime attention d'un salaud rongé par le remords, pensa-t-elle.

Le soleil avait disparu. D'immenses nuages s'amoncelaient dans le ciel. Une bise aigre rendait douloureuses la nuque et les oreilles de Louise, qui ne pouvait s'empêcher d'imaginer le corps en morceaux de Laure, le jour de la mise en bière. Peut-être la tête avait-elle éclaté sous le choc ? Mais bien sûr qu'elle avait éclaté, répandant la cervelle sur le sable. Elle crut même entendre son long cri animal poussé durant sa chute, avant l'écrasement fatal. Sa mâchoire se serra afin de réprimer un sanglot.

Libert s'était retourné. Il regardait les falaises disparaître au loin derrière une ombre de pluie. Il lui fit signe de rentrer. Elle s'agenouilla et toucha le granit froid. Puis elle courut jusqu'au portail rouillé pour le rejoindre. Quelques gouttes tombèrent au moment où ils s'assirent dans la voiture. Il respirait avec difficulté. Elle voulut conduire. Il refusa. Tout allait bien selon lui, le vent l'avait juste un peu oppressé. Par précaution, il inhala de la Ventoline, à deux reprises. Puis il roula lentement, ne passant jamais la cinquième. Il alluma les phares lorsque des trombes d'eau se déversèrent sur la route. La Giulietta se mit à ondoyer sur le bitume. Louise remarqua que le joint du pare-brise n'était plus étanche. Ce détail n'avait pas échappé au conducteur qui esquissa une grimace de dépit. Il ralentit en descendant la côte menant au parking où elle avait garé sa voiture le matin. Heureusement que personne n'a remis la chaîne, dit-il soulagé. Arrivés devant la vieille maison toute dégoulinante de pluie, le ciel redevint plus clair. Le vent couchait les bosquets, brisait les branches les plus frêles des arbustes, mais chassait les nuages saturés d'eau. Ils restèrent dans la voiture, attendant que le grain passe. Vous ne mettez jamais de fleurs sur sa tombe ? demanda Louise. Des roses du jardin, le jour de l'anniversaire de sa disparition. Pourquoi celui de sa disparition ? Parce que c'est le jour où elle est parvenue à se libérer de moi.

La Chute de Camus, dit-elle encore, en deux exemplaires dans votre bibliothèque, c'est pour vous rappeler en permanence son plongeon dans le vide. C'est le remords qui ne vous quitte pas, comme pour le narrateur imaginé par Camus. Le cri, vous l'entendez, ce cri plusieurs fois répété, il est en vous, n'est-ce pas ? Camus a, paraît-il, écrit ce récit en pensant à sa femme, Francine, la mère de ses deux enfants, qui s'est défenestrée quand elle a appris qu'il la trompait.

Libert ne répondait pas. Il regardait au centre du volant le logo Alfa Romeo, deux symboles milanais, le serpent des Visconti et la croix rouge sur fond blanc emblème de la ville, le pare-brise où glissaient de nouveau des gouttes d'eau. Un autre grain arrivait de l'ouest à bride abattue. Il se remit à pleuvoir très fort. La voiture résonnait étrangement. On aurait dit qu'on tirait sur la tôle.

29

Ils étaient là tous les deux, prisonniers de la pluie, derrière les vitres désormais embuées d'une automobile sans âge, au bout d'un chemin sans issue. L'eau détrempait la terre blanchâtre, elle s'infiltrait dans le sous-sol de la falaise, formait des rigoles, creusait des trous, fissurait la pierre, préparait l'éboulement qui emporterait bientôt la maison, comme la lave avait détruit Pompéi. Louise évoqua la femme du président, morte en novembre 2011. Elle avait décidé de pousser Libert dans ses retranchements, de profiter de la situation inconfortable. Elle était une femme de gauche, dit-elle, je crois même qu'elle a aidé votre président à ne pas finir dans la peau d'un politicien de droite. De la droite la plus conservatrice qui soit. Un politicien un peu moisi et replié sur sa campagne de Jarnac où tous les arbres se ressemblent. Elle a fait entrer un peu d'air frais dans sa tête, il me semble, elle regardait le monde, elle souffrait de l'injustice, de tous ces peuples opprimés par le système capitaliste et cette société consumériste. C'était une profonde résistante. Elle voulait non pas changer la vie, comme l'a dit votre président, mais changer concrètement la vie des gens simples. Moi, je l'aurais aimée comme une mère. Et dire que cet homme qu'elle a suivi jusqu'à la tombe, avec la fidélité de Baltique, a construit la pyramide du Louvre pour sa maîtresse! J'aurais eu mal pour elle.

Louise triturait ses doigts en parlant. Elle lâchait ce qu'elle avait sur le cœur. Le vent secouait la vieille bagnole, la pluie giflait les vitres, et Libert se taisait obstinément. C'était une femme courageuse, poursuivit-elle. Je souhaiterais lui ressembler. C'est un modèle de droiture. Pas votre président tout en circonvolutions maladives. Oui, sans elle, il n'aurait pas fait le chemin qu'il a accompli.

Elle avait dit ça, comme une fille dit à son père qu'elle veut être libre. Un moment où la rupture intervient, sans préméditation, de manière irrévocable.

Libert sourit, de son sourire énigmatique. Il répondit : Vous jugez sans savoir. Vous n'auriez peut-être pas totalement apprécié cette femme qui prenait le Concorde pour distribuer trois paquets de riz aux victimes de séismes idéologiques. Tout est plus complexe. Les apparences simplifient et masquent les failles psychologiques. Je ne sais pas, au fond, ce que l'Histoire retiendra. Il est possible que sa femme ait joué un rôle non négligeable dans l'évolution de ses idées. Mais la rupture avec les valeurs conservatrices de son milieu est intervenue avant qu'il ne la rencontre. C'est dans le camp de prisonniers, en septembre 1940, qu'il a pris conscience qu'un autre monde que celui de sa jeunesse existait. Au stalag IX A, en Allemagne, après avoir été blessé au combat, il a d'abord été confronté à la violence animale. La loi du plus fort régnait pour la ration quotidienne de soupe. Les plus brutaux sortaient les couteaux et n'hésitaient pas à tuer pour être servis les premiers. La nuit, les combats se poursuivaient. Au petit matin, les soldats comptaient les cadavres et les poux qu'ils avaient dans les cheveux. Ce fut dur pour lui, vous savez. Une véritable épreuve. Seul l'harmonica de son ami Pascal Bastia calmait un peu la peur. La solidarité a fini par triompher. Les plus courageux l'ont imposée. La violence a été éradiquée. Ceux qui l'avaient pratiquée ont été placés hors du jeu social. Le partage est devenu la loi. L'équité peut s'imposer rapidement. Il suffit de quelques hommes de bonne volonté. Quand il s'est évadé, il a retenu cette leçon. La métamorphose vient de là. Être confronté à la barbarie ne vous rend pas forcément féroce et sanguinaire. Il en avait eu la preuve. Changer la vie n'était pas un simple slogan de campagne, Louise.

Vous auriez voulu que votre femme suive la même évolution, dit-elle, en poursuivant son idée. Vous l'avez bousculée. Vous l'avez poussée à changer, sans lui laisser le temps. Laisser du temps au temps. Vous devriez connaître cette formule.

Louise venait d'abattre ses cartes, ce qui surprit Libert. Il pensait qu'elle serait plus patiente. Elle n'était pas dans cette vieille voiture par hasard. À présent, il en était convaincu. Il décida de la ménager. Il changea de sujet. L'art de la digression, il l'avait pratiqué pendant trente ans...

J'ai appris que Martin Brunet n'était pas l'homme choisi par mon éditeur. Je suis surpris. Pouvez-vous m'expliquer ?

Louise rougit. Elle sentit qu'elle rougissait et cela l'énerva, ce qui lui permit de surmonter son trouble. Elle raconta tout, sans précipitation, tentant de maîtriser son souffle, sans perdre le fil des phrases, manquant juste un peu de salive, et concluant de manière directe : C'est une bonne chose pour vous, je suis ravie de voir que vous prenez plaisir à raconter cet aspect-là de votre vie.

Brunet aurait pu être un grand journaliste, dit Libert. Mais il a manqué de prudence. Il connaît bien son sujet, en revanche. Ce qui est assez rare aujourd'hui.

Louise se contenta de cette réponse. Elle avait évité la colère de Libert. Cela seul comptait à ses yeux. Elle revint à la vie privée du président. Il aurait dû divorcer, montrer que les temps avaient changé, innover, bousculer, enfin être de gauche ! Libert rit. La pluie tombait toujours, le vent restait violent, la pellicule de buée sur les vitres oblitérait totalement le paysage. Ce n'est pas parce qu'on est de gauche, comme vous dites, qu'on doit foutre en l'air la marche vers le pouvoir. L'opinion publique n'aurait pas accepté un président divorcé. C'est ainsi. Il a déjà pris un risque en annonçant, avant le premier tour de la présidentielle de 1981, qu'il abolirait la peine de mort, s'il était élu. C'était courageux, et cette décision concernait la société tout entière. Elle serait irrévocable, comme toutes les grandes décisions qu'il avait prises durant sa vie. Son divorce n'aurait concerné que sa femme et lui. C'était une affaire privée. Il ne faut pas mélanger les genres. Sarkozy l'a appris à ses dépens. Le départ de Cécilia va lui coûter sa réélection. On a vu le monarque nu, en proie à un cataclysme sentimental affligeant, comme nous tous. Puis il y a eu la séquence de la conquête de la chanteuse, l'annonce du coup de foudre, etc. Les Français aiment les non-dits. L'Église a dirigé leur conscience trop longtemps.

Il avait beaucoup de maîtresses ? lança-t-elle tout à trac. Libert trouvait cette fille assez désarmante. Oui. Des célèbres, des anonymes. Pas mal de journalistes. Il fallait faire attention. Quand une femme lui plaisait et qu'elle plaisait en même temps à l'un de ses ministres ou de ses conseillers, le protocole implicite exigeait qu'il fût le premier. Déroger, c'était provoquer la colère du grand homme.

Il parlait avec gourmandise. Tout semblait du jeu. La vie des autres, c'était cela, un jeu. Louise aurait dû le détester. Elle n'y arrivait pas. De moins en moins, en tout cas. Ça l'agaçait. Il avait du charme, une voix suave, terriblement jeune. L'édredon nuageux se déchira soudain à l'ouest, au-dessus de la falaise. La pluie cessa. Ils purent sortir de la vieille Alfa, et mettre un terme à leur conversation.

30

Louise parut dans l'embrasure de la porte du salon. Elle portait une robe de mousseline noire à fines bretelles et au décolleté provocant. Ses cheveux bruns frangeaient son front lisse. Elle s'approcha de lui, sans bruit, pieds nus, comme une chatte en chasse. Elle fit glisser d'un coup sa robe, dévoilant un corps superbe. Elle le fixait sans la moindre gêne, la tête légèrement penchée. Ses seins bien fermes semblaient le défier. La matité de sa peau fit naître en lui une vive pulsion, mais il se garda bien de bouger. Elle avait pris l'initiative, c'était parfait. Elle sortit du cercle que formait sur le tapis sa robe ôtée sans pudeur. Elle se planta devant lui et exigea d'une voix rauque qu'il se déshabille. Comme il hésitait, elle fit glisser ses doigts sur son sexe rasé. Elle recula d'un pas afin qu'il pût mieux la désirer. Il se demanda alors si la jeune fille polie et presque timide qu'il avait amenée sur la tombe de Laure était bien la même que celle qui s'offrait maintenant à lui. D'une voix radoucie et sans le tutoyer, elle lui dit qu'elle voulait respirer l'odeur de sa peau. Il enleva son pull et sa chemise pendant qu'elle se caressait la pointe des seins, les paupières mi-closes. Son ventre à lui, qui débordait du pantalon, le vieillissait, de même que les poils blancs sur son torse. Vous êtes un faux maigre, murmura-t-elle en mordillant la peau de son cou. Ses biceps semblaient cependant fermes et elle aurait voulu que son cœur soit aussi fort pour qu'il puisse la porter jusqu'à l'étage. Suis-moi, dit-il d'un ton paisible. Ils montèrent l'escalier, lui devant, elle derrière à regarder se mouvoir lourdement ce corps que les mains de Laure avaient dû polir parfois avec dégoût. Il emprunta le couloir qui menait à la chambre de sa femme. Louise s'arrêta quand il y entra. Les gouttes de pluie cliquetaient sur les ardoises. Malgré son désir, elle se sentait incapable de faire l'amour dans la chambre de Laure. Elle désirait pourtant qu'il la possédât. Elle entendit sa voix suave. Louise, viens. Elle entra à son tour dans la pièce, il était allongé sur le lit, entièrement nu. Elle s'approcha. De petits grains marron étaient disséminés sur sa peau distendue. Il n'était ni beau ni laid. Elle se mit sur lui, à califourchon, écarta les cuisses et s'empala sur son sexe en se demandant depuis combien de temps il n'avait pas fait l'amour. Le lit grinçait à chaque mouvement. Elle allait et venait sur ce sexe interdit, en maintenant le même rythme lent, car il avait du mal à respirer. Quand il éjacula, elle lâcha un couinement, pareil à celui d'un lapin qu'on tue. Il ne l'avait pas touchée, pas même effleurée. Le bleu de ses yeux exprimait un sentiment d'immense tristesse qui fit peur à Louise. Elle descendit du lit et s'enferma dans le cabinet de toilette. Quand elle en ressortit, il avait quitté la chambre. Il n'y avait plus que l'empreinte de son corps sur la couverture froissée.

Libert enregistra ce qu'il venait d'écrire dans un fichier intitulé «*Louise*». La pluie tombait. L'humidité était partout. Il avait un peu froid. C'est alors qu'il songea aux guêpes que le vent d'automne achève sur le perron de la maison. Il n'aurait pas su dire pourquoi cette image lui était soudain apparue.

Louise, après s'être réchauffée devant la cheminée, s'était assoupie sur le canapé, sous une couverture de laine. Puis elle s'était brusquement réveillée au cœur de la nuit et avait quitté la maison sans prévenir Libert. Elle le croyait endormi. Sur la route encore détrempée, elle avait envoyé un SMS : «JACQUES. JE RENTRE. JE DOIS CHANGER DE VÊTEMENTS. LOUISE.»

31

Brunet! s'écria-t-il, vous pensiez me piéger avec cette interview. C'est ainsi qu'il débuta sa conversation par webcam. Le journaliste, sur l'écran de l'ordinateur, ne répondait rien. La colère de Libert était feinte, il en était convaincu.

J'ai relu les premières pages que vous m'avez envoyées par mail, dit-il froidement. Il va falloir utiliser les mots qui conviennent. J'ai tiré le texte sur papier et je corrige dans la marge. Je travaille comme ça. C'est à prendre ou à laisser. De plus, j'ai prévenu mon éditeur que je faisais ce travail avec vous, Brunet. Il va vous appeler et vous envoyer un contrat. Mais je contrôle tout. Il n'y aura aucun scoop. Si vous voulez faire un bouquin de caniveau, c'est raté. On fait un livre d'entretiens. Je vous montrerai ce que j'ai écrit, il y a plusieurs années. Vous pourrez aussi remercier Louise de vous avoir permis de franchir le seuil de ma maison. Personnellement, je ne vous aurais même pas écouté. Alors, Brunet, pas de triomphalisme! J'ajoute que je suis trop fatigué pour vous recevoir en ce moment. On bosse à la webcam. Et n'oubliez pas d'enregistrer! Sinon, je le ferai. J'ai été à bonne école. Je ne pensais pas qu'on allait tomber à un tel degré de vilenie.

Il jouait, il était heureux d'avoir encore la force de jouer.

Brunet n'avait pas encore dit un mot. Il lui avait fait un coup tordu et ça avait marché. Il tenait sa revanche.

Libert était devant la webcam, assis à son bureau, pull en V noir, chemise blanche. La fenêtre était entrouverte. Il pleuvait sur les feuilles naissantes. Les mouettes gueulaient dans le vide.

Alors on parle de quoi? demanda Libert. Le journaliste lui laissa le choix. L'Europe, ça ne vous tente pas? demanda le vieil écrivain. Ça ne tente personne, l'Europe. Tout le monde s'en fout. Vous savez que la chanson préférée du président, c'était «Göttingen» de Barbara. Je ne vais pas vous la chanter. Je le pourrais pourtant, et au piano. «Les enfances sont pareilles à Paris ou à Göttingen...» La réconciliation entre la France et l'Allemagne était le passage obligé pour permettre la construction européenne cimentée grâce à la monnaie unique. La dynamique a été provoquée par le président et le chancelier allemand Helmut Kohl. Sans eux, il n'y aurait rien eu. Rien. Le président a compris que Kohl était l'homme de la situation. Après, on ne sait pas qui on aura, disait-il. Il faut donc aller vite et le plus loin qu'on peut. C'était une période exaltante, on savait qu'elle allait bouleverser nos vies et apporter durablement la paix. Les hommes qui n'ont pas connu l'épreuve du feu ne peuvent défendre aussi passionnément la paix. Désormais, la plus belle image, dans les livres d'Histoire, c'est celle du président qui prend la main de Kohl devant l'imposant ossuaire de Douaumont, à Verdun, le 22 septembre 1984. Il faisait déjà frisquet. Le président avait son manteau noir. Je le revois comme si c'était hier. Enregistrez, Martin. Avant la cérémonie, le président m'avait dit : Il faut marquer cet instant à tout jamais. Si vous avez une idée, Jacques, c'est maintenant. Alors je lui ai répondu que c'était le couple franco-allemand qui se reformait à Verdun, sous le regard de millions de morts anonymes, mais surtout devant des millions d'hommes et de femmes présents. Il fallait même considérer que c'était la première fois. Un couple se mariait, en quelque sorte. Il fallait donc prendre la main du géant Kohl au moment de la *Marseillaise*, devant les deux couronnes de fleurs, dans la fraîcheur d'un automne naissant. Le président m'a alors regardé, assez surpris. Il a marqué un silence puis a dit : Je vais y réfléchir.

Il n'en a pas parlé à Kohl. Il est allé chercher sa main, du bout des doigts. Le chancelier a été surpris, il a marqué une légère hésitation, mais il l'a fait, il a suivi le geste du président, instinctivement, je dirais. J'ai pleuré en voyant le petit homme, droit comme un I, serrant la main du colosse germanique.

L'Europe, oui, fut son dernier combat politique. Il a mis sa peau sur la table de l'Histoire avec le référendum sur le traité de Maastricht. Le débat du 3 septembre 1992 a été décisif. C'était dans le grand amphi de la Sorbonne. Il était opposé au gaulliste Philippe Seguin. Un type à la carrure impressionnante mais psychologiquement fragile. Je savais le président très affaibli par la maladie. Un hôpital mobile l'accompagnait au cas où il aurait fait un malaise. On lui faisait des injections de produits révolutionnaires aux effets inconnus. Il était devenu un cobaye. Passons. Même si je n'étais plus son conseiller spécial, je lui ai dit que Seguin ne l'attaquerait pas, qu'il ne lui planterait pas le couteau dans le dos, qu'il n'était pas un tueur né. Ça se voyait, ça se reniflait. Le président était très calme. Un membre de son entourage, très influent, probablement une femme, l'avait convaincu de teindre ses cheveux ainsi que ses sourcils. Il m'a regardé, ses yeux étaient cerclés de rouge,

227

flottant dans un visage parcheminé, et il a souri. Ses mains tremblaient sous la douleur. Il m'a dit, d'une voix étouffée : Je le sais, Jacques, je le sais. Ma seule crainte, c'est que je ne puisse pas aller au bout du débat. Je souhaiterais que vous soyez dans la salle. Puis il a fermé les yeux et respiré longuement pour chercher une seconde de paix dans un corps ravagé.

Malgré son autorisation qui prouvait que j'étais toujours son ami, j'ai regardé le face-à-face à la télévision. Le président a fait preuve de beaucoup d'humour. Il a tenu. Il a gagné. L'Histoire retiendrait son action. Il ne lui restait plus qu'à réussir sa sortie personnelle.

Et le 10 mai 1981 ?» demanda Brunet. Libert fut surpris de sa question. Il le regarda fixement. Sa tête, surmontée de ses drôles de cheveux frisottés, semblait disproportionnée sur l'écran de l'ordinateur. Il cache bien son jeu, pensa l'ancien conseiller du président.

Une odeur de sable mouillé passait par la fenêtre entrouverte. Libert n'avait jamais pu la préciser dans un roman, lui trouver l'adjectif qui convenait. Il écrivait «une odeur de sable mouillé», et cela suffisait. Chaque lecteur se trouvait projeté sur la plage de ses souvenirs, le plus souvent celle de son enfance.

Tout avait été écrit sur la victoire du 10 mai. Même sur ce dîner entre Chirac, candidat RPR, et le président, chez Édith Cresson, en octobre 1980 où

Libert n'était pas présent. Mais il fut mis au courant de la manœuvre du chef du RPR. Ce dernier voulait se débarrasser de VGE et permettre l'élection du candidat socialiste.

Rien n'est ni blanc ni noir, dit l'ancien conseiller à Brunet. Tout est gris. Si vous aimez le gris, alors vous pouvez espérer durer en politique. Le président avait inventé le gris flamboyant.

Chirac et ses amis connaissaient les points faibles du président. Vichy ! lança Brunet devant la webcam. Foutez-moi la paix avec Vichy ! tempêta Libert. Ce n'est pas de Gaulle qui était traqué par la Gestapo en 1944 ! N'oubliez pas, bougre de borné de journaliste obnubilé par la compétition morale à laquelle se livre l'époque, n'oubliez pas que le président valait 250 000 francs en 44 ! Les nazis avaient mis ce pognon sur la table pour l'éliminer. Lisez *La Douleur*, de Duras.

Il a contourné les idéologies, ajouta-t-il.

Libert respira longuement. Puis il reprit : Ce que je vais vous dire ne doit pas être publié de mon vivant. De plus, vous ne trouverez personne pour confirmer l'info. Le président était malade bien avant son arrivée au pouvoir. Dans l'entourage du candidat gaulliste, on le savait, certains médecins et chirurgiens avaient été renseignés par leurs confrères. Même les Soviétiques avaient pris l'affaire au sérieux. Des agents du

KGB avaient récupéré et fait analyser les fluides corporels du président lors de ses déplacements à l'étranger, comme ils l'avaient déjà fait pour Pompidou en détournant son urine des toilettes de sa chambre d'hôtel. En 1981, le candidat gaulliste voulait faire battre VGE en permettant l'élection d'un condamné. Il ne pensait pas qu'il tiendrait plus de deux ans à la tête de l'État, la tâche étant déjà épuisante pour un homme en parfaite santé. C'était sans compter avec la volonté du président.

Le pire, ajouta Libert, c'est que le président avait refusé qu'on lui enlève cette satanée prostate. Il avait refusé l'ablation, de peur de ne plus pouvoir faire l'amour. C'était une angoisse chez lui.

Libert décida qu'il en avait assez dit. Il coupa la connexion. Au même moment, Louise l'appela. Elle prenait de ses nouvelles. Il répondit qu'il toussait moins. Elle s'en réjouit. Il ajouta cette phrase de Pauline de Beaumont à son amant Chateaubriand : «Je tousse moins, mais je crois que c'est pour mourir sans bruit.»

Il était décidément hors norme.

Elle se décida enfin à téléphoner à Morain. Elle tomba sur sa messagerie. Elle dit, après avoir hésité : C'est Louise. Quand puis-je vous voir?

De son côté, Brunet ouvrit son cahier d'écolier et nota au crayon, d'une écriture heurtée :

La gauche, avant 1981, était captivante. On pouvait rêver de ce qu'elle ferait, une fois au pouvoir. C'était le rêve même. Jamais plus cette situation ne se reproduirait. Et la comparaison avec l'homme du 10 mai 1981 serait toujours au détriment de ses successeurs. Et si, en plus, ils n'avaient aucun talent, l'expérience prendrait fin tragiquement.

Puis il jeta un coup d'œil en direction de la terrasse. Il habitait une maison en meulière au bord de la Marne, à Joinville. Enfant, il se baignait dans la rivière, avant les pesticides et les engrais utilisés en masse. Avant la massification de tout. Mais personne ne lui avait jamais demandé où il habitait. Ça n'avait aucun intérêt.

32

Assis à son bureau, Libert travaillait sans relâche. Il voulait finir son livre sur le président. Comme d'habitude, il avait ouvert la fenêtre. La Manche miroitait au soleil du matin, dans la première lumière, c'est-à-dire la meilleure. Ciel immobile, mouvement oblique des flots, trait net à l'horizon. Bleu, vert, distinctement. L'air et l'eau refusaient la fusion. Passé deux heures de l'après-midi, il en serait autrement, la mer absorberait le ciel et prendrait ses nuances bleutées.

Louise frappa à la porte. Il la pria d'entrer, elle vint s'asseoir auprès de lui. De minuscules poils blancs sortaient de ses joues, ses cheveux n'étaient pas lissés sur les tempes, il portait un vieux pantalon de toile beige et une chemise en jean au col délavé. Elle ne reconnut que le pull marin qu'il mettait désormais presque chaque jour. Il ressemblait à un écrivain du sud des États-Unis. Jamais elle ne lui avait trouvé autant de charme. Même ses yeux bleus semblaient briller d'un éclat nouveau. Regardez, Louise, dit-il, comme cette vue est admirable. Le soleil monte tranquillement dans le ciel, je ne le vois pas, je le devine, l'été surtout, quand il dilue les brumes de l'aube, je sais alors qu'il est derrière moi, il apparaît dans le cadre de la fenêtre vers quatre heures, il descend lentement, je le suis du doigt, j'ai mes repères, comme le marin au milieu de l'océan, sa chute semble s'accélérer à l'approche de l'horizon, sa lumière n'aveugle plus, les couleurs du ciel changent, il est gros, énorme même, il m'impressionne toujours.

Louise ne répondit rien. Elle imaginait Libert et Laure dans cette maison qui aurait dû être celle d'un bonheur partagé. Mais cette femme était tombée sur un pervers narcissique et elle n'avait pas eu le cran de le quitter avant une destruction programmée dès le premier jour. Elle aurait dû le tuer dans son sommeil, pensa Louise.

C'est alors qu'elle vit, accroché au mur d'entrée du bureau, le portrait du président qu'on ne pouvait voir qu'en tournant le dos à la mer, et comme elle n'avait passé l'aspirateur qu'une seule fois dans l'antre de l'écrivain, elle ne le découvrait qu'aujourd'hui. C'est son regard qui attirait l'attention ; un regard profond, déterminé, faussement tranquille, qui ne sait que trop la violence des rapports humains, leur petitesse, leur mesquinerie. Sur l'épaule, l'artiste a posé une chouette, symbole de la sagesse pour les anciens Grecs. Vous admirez le tableau ? demanda Libert. Sans attendre la réponse il dit qu'il s'agissait d'un peintre, ex-compagnon d'une actrice française célèbre, très belle et blonde, récompensée à Cannes par un prix d'interprétation. Avec le président, ils avaient déjeuné dans leur propriété dans un village d'Eure-et-Loir, à Saint-Ouen-Marchefroy. Le président avait été subjugué par la longue chevelure de la comédienne. Il aimait caresser les cheveux. Il aimait aussi les actrices. Plus tard, à l'Élysée, il l'avait fait chevalier de la Légion d'honneur.

C'était un déjeuner exquis, dit encore Libert. Le président parlait littérature, théâtre, cinéma, il racontait sa venue au festival de Cannes, alors qu'il était ministre de la Justice, en smoking, nœud pap, cheveux noirs gominés à la Rudoph Valentino, accompagné de son épouse en marinière. Il confessait l'émotion qu'il avait éprouvée en voyant Brigitte Bardot, icône naissante de la France prospère. Il riait beaucoup, cachant ses incisives avec sa serviette, un tic qu'il garderait même après le limage de ses crocs. Il séduisait son auditoire, comme à l'accoutumée. Il adorait s'emparer de l'âme des gens. Regardez, j'ai une photo de lui à dix-sept ans. Il cliqua sur un fichier qu'il déverrouilla au préalable à l'aide d'un code, et fit apparaître une photo en noir et blanc de l'adolescent. Il possède déjà ce regard empreint de gravité, qui regarde très loin, un point que peu d'hommes peuvent atteindre, avec également cette fragilité qui condamne aux grandes souffrances du cœur. Il y a aussi cette lèvre inférieure, ourlée, généreuse, sensuelle, qui au fur et à mesure des épreuves ne sera plus qu'un mince fil de chair tremblant.

Vous l'avez aimé, murmura Louise. Vous l'avez aimé plus que votre femme, la littérature, la vie même. Pour toute réponse, Libert dit : Comment ne pas aimer un homme qui pleure dans vos bras par dépit amoureux ?

Libert se tut. C'était son mode de fonctionnement. Il lâchait une phrase sibylline qu'il ne commentait pas. Il entretenait en permanence le mystère. Le mensonge aussi.

Il aurait pu être écrivain, dit Louise, assise face au portrait. Non, répondit Libert, il n'avait pas une écriture naturelle. Il doutait trop. Il ne s'était pas affranchi de sa mère. Elle était là. Il écrivait pour elle. Avec dévotion. Quand il écrivait aux femmes, il continuait de lui parler. Il a fini par être enterré auprès d'elle. Il a conquis le pouvoir pour elle. Pour être un grand écrivain, il faut avoir une mère morte. On largue enfin les amarres. Et si elle n'a pas le bon goût de mourir vite, il faut la tuer symboliquement.

Ne faire que cela dans ses livres, la tuer. Certains écrivains passent de femme en femme. Ce sont en réalité des épousailles sans cesse rejouées avec la mère. Ils finissent exsangues, compromis, sous domination féminine. Non, ce n'était pas un écrivain. En revanche, il était fait pour l'action. Il a tenté de changer la société par l'engagement politique. La période 1981-1983 est une période de rupture. Vous pouvez la juger bonne ou mauvaise, peu importe. Depuis, il n'y a plus rien. On régresse. On ment pour masquer la lente décomposition du pays. Le président a pratiqué la rupture en politique. Jamais avec sa mère, la famille, les amis du premier cercle. Il en a couvert quelques-uns de façon blâmable. Il les a même vus se compromettre avec une certaine délectation, au contact de l'argent, notamment, prouvant ainsi la misère de leur nature. Ils étaient devenus des fruits pourris mais il ne les a pas reniés. Ils sont morts sous son regard glacial.

De toute façon, dit Louise, peu de livres changent le monde. Libert se leva, respira plusieurs fois profondément. Son visage devint blanc. Le sang lui manquait. Le cœur était à la peine. Il s'approcha de la fenêtre ouverte. Il écoutait le gazouillis des grives dans les arbres. La tristesse montait en lui. Il ne luttait pas. On est triste quand la vie vous quitte, pensa-t-il.

J'ai cherché à changer la vie par la politique, soupira Libert. À la décrire par la littérature. Il convient de ne pas tout mélanger. L'unique lien qui unit la politique et la littérature, c'est l'absence de morale. Pour la politique, c'est la raison d'État qui l'emporte ; pour la littérature, c'est le mal.

Puis il ramena la conversation au seul sujet qui le captivait.

C'est à sa troisième tentative d'évasion d'Allemagne que le président a transformé sa vie en destin. Il a marché plusieurs jours dans la neige et le froid jusqu'à la zone libre, le ventre vide, les pieds en sang, le corps au-delà de la souffrance. Il avait peur d'être repris par les nazis. Il avait peur en permanence. C'était comme si cet homme marchait vers le peloton d'exécution et qu'il était sauvé à la dernière seconde. Il a triomphé de cette épreuve initiatique. De cette ordalie. Cette longue marche traumatisante l'a métamorphosé. Après, il ne serait jamais plus le même. Sa volonté serait inébranlable. Sa liberté ne serait pas négociable. Il s'adapterait à toutes les situations. Il résisterait à tous les coups tordus, en particulier quand la mort s'y cache. La prudence qui, plus tard, a animé toute son action vient de là. C'était un homme de réflexion. Alors être confronté à ce point à ce remuement des choses, ça exige une force de caractère extraordinaire. Même dans ses défauts, il était tout entier dans ce voyage. Lui qui avait une si haute opinion de soi-même, convaincu de son ambition très tôt, de sa vocation politique, c'était le comble de l'insulte que de le forcer à cette marche dans l'arbitraire.

Sur son lit de mort, il y avait ce corps immobile dans son costume sombre, une cravate à rayure bleu et rouge nouée autour du maigre cou ; il y avait ce visage de cire, gonflé par les antalgiques, où les traits ne traduisaient plus la moindre volonté. La volonté s'était définitivement absentée.

Libert referma la fenêtre. La fraîcheur montait avec la marée. Il regarda Louise et dit tout bas : C'était quelqu'un d'émouvant.

Il repensa également aux derniers vœux télévisés du président, à cette phrase qui fit couler tellement d'encre : « Je crois aux forces de l'esprit et je ne vous quitterai pas. » Il n'y avait là rien d'étrange pour qui le connaissait comme Libert le connaissait. Le 5 mai 1981, quelques minutes avant le débat télévisé de l'entre-deux-tours avec Giscard, le président s'était écrié : Jacques, vous les sentez, ils sont là ! Ils sont avec moi, dans la loge. Ils me touchent les mains. Je les sens, vous dis-je. Mais qui ? avait demandé Libert. Mes parents, avait répondu l'homme qui allait diriger la France durant quatorze ans.

Rien d'étrange, seulement l'aboutissement d'une fidélité. Rien d'improvisé non plus. Il savait qu'il hanterait longtemps ses successeurs, les obligeant à citer son nom, même quand ils ne le voudraient pas. Et la comparaison serait terrible.

Je ne vous quitterai pas, reprit l'ancien conseiller pour le plaisir. C'est tellement vrai. N'est-ce pas, Louise ?

33

Libert regardait ses chevilles qui ressemblaient à des outres pleines d'eau. Il pouvait à peine marcher. Le cœur s'affaiblissait, le corps s'épuisait. Dehors, le ciel était triste. Il pleuvait. BFMTV retransmettait la passation de pouvoir entre Nicolas Sarkozy, président battu, et François Hollande, deuxième socialiste sous la Ve République à entrer à l'Élysée. À Paris, il pleuvait aussi. Libert se remémora sa dernière visite au Château, en passant par la grille du Coq pour ne pas être vu. Le président était très fatigué. On le disait même mourant. Il n'avait pu l'accompagner jusqu'à la tombe invisible du petit Clément. Libert s'était recueilli seul. Il savait que ce serait la dernière fois. Le président l'avait reçu dans sa chambre, allongé sur son transat de cuir, une couverture de laine sur les genoux. Ses cheveux étaient en bataille, il portait un pyjama bleu, il ne s'habillait plus que le mercredi, pour le Conseil des ministres. Il n'avait pu se raser, les forces lui manquant. La chambre était en désordre. Des journaux en liasses sur le sol ; des livres dédicacés ; des médicaments jetés en vrac sur la table de chevet (Libert se souvint alors des appareils médicaux entrant de nuit à l'Élysée) ; les photographies de ses parents et de ses grands-parents ; un téléphone sur une table basse et des dossiers tout autour ; une carte de l'Afrique, une immense carte de géographie d'avant-guerre, totalement obsolète. Le temps comme figé. La fin d'un règne de quatorze ans.

Alors, Jacques, dit le président d'une voix faible, vous êtes content, vous avez pu revoir le figuier et son secret ? Avec mon successeur, ce sera difficile. Remarquez, un socialiste ne vous aurait pas permis de le faire, non plus. Ils n'ont pas la fibre romanesque. Pauvre Jospin, si terne, si coupable de vivre. Chirac va donc me succéder. C'est un coriace. J'ai longtemps cru que ce serait Balladur, mais il aurait voulu être élu sans arpenter la France, sans la connaître village par village. Voyez, Jacques, je me revois encore arriver à Paris, à la pension du 104, et être reçu par Mauriac. La nuit précédente, j'ai même rêvé que je jouais aux échecs avec mon grand-père, dans la ferme de Touvent. Je gagnais quand je me suis réveillé… Comme le temps a passé vite.

Qu'allez-vous faire après ? demanda Libert. Si c'est comme maintenant, peu de chose, répondit-il. Je n'ai même pas pu m'habiller, encore moins me raser. Mais sait-on jamais. Je vais faire comme si. Du reste, j'ai toujours fait comme si. Sinon, on ne peut avancer. C'est vraiment regrettable cette affaire avec votre femme. Cette suspicion permanente. J'aurais souhaité que vous soyez à mes côtés jusqu'à la fin du mandat que les Français m'avaient accordé. Mais ce n'était pas possible. Ils me cernaient. Tous. Heureusement que je savais ce qu'ils tramaient contre moi. Je vous savais fidèle. Mais il y a toujours un doute… Enfin, je suis satisfait. J'ai levé moi-même tous les secrets. Vichy, ma fille. Je voulais tout contrôler. C'est essentiel. La confiance ne se partage pas. Regardez avec Vichy ! Quelle histoire ! J'ai tenu à informer la jeunesse de la complexité de la période. Mais les autres, ils savaient ! Regardez comment ils se sont comportés à mon égard ! Ce refus, soudain, de me tendre la main. Sans moi, ils ne seraient rien. Je vous ai observé durant cette période. Vous auriez pu être très critique. Vous avez encore de l'influence. Vous m'avez défendu avec intelligence. C'est si rare, si rare…

Le président ne finit pas la conversation. Il s'endormit d'un coup. Son médecin personnel entra brusquement, comme s'il épiait derrière la porte. Je ne vous raccompagne pas, dit-il, vous connaissez les lieux. Prenez l'ascenseur, c'est plus rapide. Le président vous recontactera quand il aura quitté l'Élysée. Il a quelque chose à vous remettre. Libert dit alors : Je voudrais rester une heure à veiller sur le sommeil du président. Le docteur, d'abord réticent, acquiesça. C'est ainsi que Libert, couché sur la moquette, au pied du lit, écouta la respiration régulière du président. Ce n'est qu'à l'aube qu'il le quitta.

Le lendemain, il appela l'Élysée. Le président accepta de lui parler. Il lui demanda s'il avait bien dormi. Le président répondit : Vous le savez bien, Jacques, puisque vous étiez là.

*

La sonnerie du portable le tira de ses souvenirs. C'était Morain. Il était ravi de la pluie, de la passation de pouvoir, de Hollande, de la tête fatiguée de Sarkozy. Il était Daniel Morain, chien fou malgré l'âge, qui allait sûrement retrouver son siège de député. Il l'interrogea sur Hollande. Libert s'en moquait un peu. Il répondit évasivement en regardant ses chevilles toujours enflées. Il a beaucoup promis, lâcha-t-il. Je le croisais parfois dans le bureau présidentiel. Il sortait quand je rentrais, un dossier sous le bras. Il était rond et rieur. On le disait bûcheur, à l'aise avec les chiffres et les femmes.

Le retrait de Sarkozy de la vie politique l'intriguait davantage. Morain affirma qu'il reviendrait, car rapidement l'ennui le minerait. Il est sorti sans humiliation, répondit Libert. C'est ce qu'il voulait. Il a décidé de partir, semblant ne plus aimer le pouvoir. Il ne reviendra que si l'événement le porte à nouveau. Ce serait Mac Mahon dans le corps de Bonaparte. Il marqua une pause. Quand on extrait un coquillage du sable, ajouta-t-il, le trou se referme aussitôt.

Puis Morain lui parla de son livre, il voulait savoir quand il paraîtrait. Libert répondit que son éditeur avait prévu la sortie en octobre, pour ne pas gêner la campagne du candidat socialiste, son ami. En effet, un ancien conseiller spécial du président qui avouait n'avoir rien tenté pour sauver sa femme, ça alimenterait les éditos malveillants. Morain protesta : De quoi parles-tu ? Je te rappelle que j'étais là !

Libert n'avait pas oublié.

34

Le vieux conseiller regardait une photo en noir et blanc du président. C'était en 1954, il était alors ministre de l'Intérieur du gouvernement Mendès France. Il venait d'achever une partie de tennis. Il souriait, arborait une serviette en éponge autour du cou, le regard un peu vague, la chevelure noire en désordre, le visage émacié. Il était fatigué, mais épanoui. Heureux même. C'était cet homme-là qu'il aimait. Un homme dont il avait partagé certaines angoisses ; des angoisses irrésistibles.

Il prit deux comprimés, des diurétiques, qu'il avala avec un peu d'eau. Il éprouvait de grandes difficultés à respirer et ses chevilles restaient abominablement boursouflées. Il ne se rasait plus, les forces lui manquaient. Il refusait de parler à Brunet. Il l'avait énervé avec l'affaire de la rue Guynemer. En 1947, le président, alors ministre des Anciens Combattants, s'était arrangé pour que le Vatican récupère son immeuble réquisitionné à la Libération et donné à une association de femmes déportées, dont l'animatrice était Geneviève Anthonioz, nièce du général de Gaulle. Le premier locataire sélectionné pour le 4 de la rue Guynemer fut le président lui-même. Libert le savait. Il s'en foutait. Il ne voulait plus se souvenir que de l'appartement dans lequel il avait cru que le président, une nuit, après l'affaire de l'Observatoire, se suiciderait. De toute façon, il refusait de pratiquer le droit d'inventaire. Il prenait tout. Jusqu'à sa disgrâce, en 1990.

Il continuait donc d'écrire seul ce livre dont il ne voulait pas au départ et qu'il ne pourrait probablement pas achever. Mais il était habitué à ses propres contradictions. Le président ne l'appelait-il pas «le Jésuite»? Alors? demandait-il, et quand tous séchaient, ou avaient la trouille de parler net, y compris «l'encyclopédique» et «le goguenard à bretelles», il lâchait froidement : Appelez le Jésuite, il va me répondre, lui. Libert entendait à l'autre bout du combiné la voix autoritaire du président : Bonjour, où êtes-vous? Que faites-vous? Et il sollicitait immédiatement son avis. Puis il raccrochait, en disant : Très bien. Je vous embrasse. Les autres devaient fulminer en silence, et le président afficher un sourire insupportable.

C'était il y a si longtemps, pensa-t-il. Des martinets criaient dans le ciel azur. L'enfance remontait soudain. L'esprit d'enfance, précisément, l'authenticité révolue. Il avait tant triché durant son existence, tant menti. Il continuait du reste à brouiller les pistes avec ce livre sur ses longues années passées à servir, de près ou de loin, le président. Même dans son ultime roman, il s'accusait d'un crime qu'il n'avait pas physiquement commis.

Le portable vibra. C'était Morain, celui qui, justement, savait. C'était son ami, le dernier. Je te donne les résultats du sondage que j'ai commandé, dit-il d'une voix fébrile. Je suis en tête, largement, et la gamine Boismoreau n'arrive pas à se détacher du candidat du Front National. Dimanche, je vais les exploser. C'est dommage que tu ne puisses pas venir le soir. J'aurais aimé que tu sois présent. Il paraît que tu ne sors plus. Demande au toubib de te faire une piqûre pour le second tour. Je voudrais tant que tu sois sur la photo.

Libert n'avait rien répondu, ou si peu. Il était ailleurs. Morain allait profiter de l'effet Hollande. Il serait de courte durée. L'époque serait de plus en plus violente. Les forces extrêmes prospéreraient vite. La France unie, cette belle réalité de 1988, serait détruite par la brutalité économique. À peine élu, Hollande était déjà contesté, moqué, ridiculisé. Quand les

247

bobos décérébrés le décideraient, ils le renverraient comme on change de portable, sur une simple envie, un caprice. Un jour, Libert en était convaincu, ils tenteraient le FN, ils sortiraient de l'euro, ils gommeraient la poignée de main entre le président français et le chancelier allemand.

Libert se leva difficilement en s'aidant de sa canne pour aller jusqu'à la fenêtre. Il aurait voulu marcher dans la campagne, humer les parfums du soir, marcher pieds nus sur le sable, sentir les embruns revigorants, regarder la mer, ne penser à rien, voir les blés dans le soleil couchant, taper dans une pierre sur un chemin herbeux, avoir des algues collées aux mollets, tout cela en même temps ou presque puisque la campagne et la mer, ici, se partagent le territoire. En vérité, son cynisme avait toujours caché sa profonde inclination au romantisme.

Il était temps pour lui d'aller à la cave. Bientôt, il serait cloué dans un fauteuil roulant. Mais avant de descendre, il retourna au bureau pour envoyer un e-mail à Louise. C'était le passage de son roman où il s'accusait d'être responsable de la mort de Laure.

35

Louise avait à peine fini de lire le mail de Libert que Morain l'appelait sur son portable. Bonjour, dit-elle, rencognée dans son canapé, la voix anxieuse. Louise, j'ai réfléchi, lança-t-il, en se raclant la gorge. Je sais que Jacques est foutu. Mais il trafique son passé. Il veut qu'on le vomisse. Je ne peux pas le laisser faire. C'est un grand écrivain. Il n'est pas coupable. Je vais tout vous dire. Louise retint sa respiration. Ce studio qu'elle détestait, plus jamais elle ne pourrait l'oublier. Les aveux écrits de Libert et ceux par téléphone de Morain fixeraient les moindres détails du décor dans sa mémoire. Les mots de l'un, les paroles de l'autre agiraient comme un burin dans le béton. Ça pénétrerait, ça éclaterait, ça marquerait pour toujours. J'étais présent le soir du drame, avoua Morain. J'étais passé le voir. Il était aux environs de minuit. Il fallait que je lui montre un document. Mais peu importe. J'ai surpris

Laure et Jacques en pleine dispute. J'ai reconnu la voix de sa femme en descendant de voiture. Ça ne m'a pas vraiment étonné. J'avais toujours dit à Jacques qu'elle reviendrait. Elle était ivre et tenait des propos incohérents. Ça, en revanche, c'était surprenant. Jacques semblait désemparé. Il cherchait à la raisonner. Elle n'était plus trop consciente. La folie s'était emparée d'elle et déformait son visage. Quand elle a voulu sortir à tout prix, Jacques s'y est d'abord opposé, puis il a fini par la laisser filer. Lorsqu'il a vu qu'elle prenait la direction du sommet de la falaise, il a tenté de la rattraper, mais lui aussi était ivre. Il titubait. C'est moi qui me suis lancé à sa poursuite. J'ai couru, j'ai crié «Laure» plusieurs fois, et à moins de dix mètres du bord, je l'ai prise par le bras. Mais j'étais à bout de souffle, et elle a fini par m'échapper, tant elle se débattait. Elle a couru et s'est jetée dans le vide. Je vous jure que c'est la vérité. J'ai retrouvé Jacques couché dans l'herbe, à moitié conscient. Quand je lui ai appris le drame, il a éclaté en sanglots. Son visage a pris dix ans d'un coup. Jamais je n'oublierai cette putain de nuit. Il a laissé planer le doute sur les circonstances de sa mort. Il m'a demandé de me taire. Il est resté volontairement dans l'ambiguïté. Il savait que son attitude envers elle l'avait définitivement déstabilisée.

Morain se tut. Il était secoué. Il n'avait jamais raconté ça à personne. Louise ne bougeait pas. Elle avait un curieux regard, absent, comme avalé de l'intérieur.

Morain finit par rompre le silence. Je crois que vous avez de l'influence sur lui. Dites-lui qu'il cesse de s'accuser de la mort de sa femme.

Louise ne l'écoutait plus. Elle se remémorait cette promenade dans le parc du Manoir d'Ango, de la vieille voiture, de la douceur des propos de Libert, de son érudition, du ciel bleu au-dessus de leurs têtes. Car elle était certaine que le ciel était bleu, ce jour-là. Elle se souvint de la découverte de la tombe de Laure, décédée le 20 avril 1990. Elle était parvenue à contenir ses larmes. Comme maintenant, prostrée sur son canapé, le portable à la main.

36

En juin 1995, le président avait subi une intervention chirurgicale. On avait remplacé sa sonde urétérale. Il était à bout de forces. Il avait cependant décidé de rendre visite à Libert qui avait consigné la rencontre dans les moindres détails.

Le président était arrivé en hélicoptère. Il s'était posé sur le terrain de foot de la commune. Un 4×4 aux vitres fumées l'attendait. Il était accompagné de son médecin personnel, opposé à cette visite. Quelques jours auparavant, la fameuse ascension de la Roche de Solutré, le dimanche de Pentecôte, avait été un véritable calvaire. Le président, épuisé, ne parvint pas au sommet. Il dut s'allonger sur une couverture pour reprendre son souffle. Les photographes mitraillaient le moribond, les amis retenaient leurs larmes, les badauds oscillaient entre pitié et voyeurisme. L'indécence triomphait. Libert avait vu quelques photos parues dans un grand hebdomadaire. Il savait que le président était attaché à ce rendez-vous avec les forces de la terre, pris au sortir de la guerre, en 1946. Pour sa part, jamais, il n'avait participé à cette montée mystique. Le panorama sur la plaine de Mâcon jusqu'à la barre du Jura était certes grandiose, mais il avait toujours voulu le plus possible préserver sa liberté. Et le prix à payer pour figurer aux côtés du président lors de la grimpette en groupe lui paraissait exorbitant.

Le président est très fatigué, donc. Son teint beurre ranci lui donne un air presque surnaturel. Il n'a plus de lèvres, son nez se résume à une arête. Les yeux sont au fond des orbites. Ils vrillent cependant son interlocuteur. Le président porte une chemise de jean bleu et une veste de toile vert pâle. Autour du cou, une écharpe grenat. On dirait un chanteur libertaire. Il ôte sa casquette, découvrant des cheveux coupés ras, tout fins et gris. Il ne se les teint même plus. En posant sa canne contre le mur du salon, il dit : Les marches de votre perron sont rudes, Jacques. Heureusement que mon médecin était là pour me soulever.

Le 4×4 était garé le long de la route. Les voisins d'en face, dont la maison sera la première à disparaître quand l'éboulement de la falaise se produira, observent la scène de leur jardin. Deux adolescents ont reconnu le président. Ils crient son nom. Ils se souviennent de la cérémonie des adieux à l'Élysée. C'était il y a moins d'un mois.

Le président se laisse glisser doucement dans le fauteuil. Libert lui offre un verre d'eau et vient s'asseoir à son tour. Le président prend le verre d'une main tremblante, boit une gorgée, et le tend au médecin. Et il parle. Il dit ceci : Je bois peu, je ne veux pas remplir la poche trop vite. Jacques, je dois une fière chandelle à la ville de Dieppe. Vous savez que j'ai porté beaucoup de noms durant la guerre, Morland était le plus célèbre. Les autres, je les ai principalement tirés de l'état civil de Dieppe dont les bâtiments avaient été détruits par un bombardement. On évitait ainsi toute vérification. Je me demande si les futures générations comprendront la complexité de cette époque. Y aura-t-il des historiens honnêtes pour leur expliquer qu'il n'y avait pas que la Résistance incarnée par de Gaulle ? La Résistance intérieure, en parlera-t-on ? Vous m'aviez promis un grand roman sur ce sujet. Vous m'aviez dit un jour dans ce bistrot que nous fréquentions avant ma première candidature à la présidentielle de 1965 que vous écririez ce livre imaginé jadis par Malraux. Ah, Malraux ! Quel style enflé ! Quel acteur ! Quel mythomane ! Résistant de la dernière heure, colonel autoproclamé ! Clara, sa première femme, avait un courage hors du commun.

Elle fut une grande résistante, elle avait intégré mon réseau. Elle a pris des risques d'autant plus immenses qu'elle était de confession juive. De plus, elle vivait seule, avec sa fille Florence. Le courage consiste à dominer sa peur, non à ne pas avoir peur. Quand on m'a retiré une dent à vif, j'ai refusé qu'on m'attache. Je tenais à maîtriser la souffrance. Sans aide aucune.

Avec un tel livre, vous auriez eu le Goncourt. Vous m'auriez pris comme personnage principal et vous auriez montré qu'il n'y avait pas que les gaullistes qui avaient su résister à l'occupant nazi.

Vous aimez Joséphine Baker? Libert, est un peu surpris par la question. Il répond oui. Je vous demande cela parce que je me souviens de mes «vacances» au Maroc, en décembre 1943. Après ma rencontre plutôt glaciale avec de Gaulle, je ne parvenais pas à quitter Alger. Son entourage faisait tout pour m'empêcher de rejoindre la France occupée. Il me craignait. J'étais trop libre. Donc incontrôlable et dangereux. La liberté, c'est d'abord être capable de rompre, de ne jamais se laisser phagocyter. En un mot, j'étais coincé à Alger. Mais j'ai réussi à m'extraire de la seringue gaulliste. J'ai atterri à Marrakech. Une charmante auxiliaire, fort jeune, me mit en relation avec Jacques Aptey, espion français qui vivait avec Joséphine Baker. Ils habitaient un somptueux palais. Ma chambre, c'était la terrasse. Je couchais à l'air libre, je sentais les parfums capiteux en m'endormant. Joséphine était une femme délicieuse. Quand son compagnon était en mission, elle m'invitait à partager son dîner. Elle me chantait des extraits de son répertoire, *a cappella*. Je ne résistais pas à «J'ai deux amours». Elle avait une poitrine merveilleuse. Ce séjour improvisé à Marrakech, c'était une parenthèse enchantée, en somme.

Le sourcil se fronça, le président souffrait. Libert n'aimait pas voir la douleur dans le regard de l'ancien chef d'État. Il changea de sujet de conversation. Alors, lança-t-il, quand aurons-nous un nouveau socialiste à l'Élysée? Le président grimaça. J'ai faim. Vous n'auriez pas quelque chose à grignoter? Libert se dirigea vers la cuisine. Le président demanda à son médecin de lui apporter un livre qui dépassait d'un rayonnage. C'était le roman autobiographique de François Nourissier, *Un petit-bourgeois*. Libert apporta une tarte Tatin, le président semblait ravi. C'est un livre que j'ai beaucoup apprécié, dit-il. Nourissier était très à droite, releva Libert. En France, un homme politique qui n'aurait pas une culture de droite ne pourrait jamais faire carrière, rétorqua aussi sec le président. J'adore la tarte Tatin. Il se jeta dessus, la main tremblante, un morceau tomba sur son ventre, le médecin se précipita pour le ramasser. C'est alors que Libert remarqua les poignets du président. Une multitude de points rouges formaient comme deux bracelets. Combien de piqûres devait-on lui faire par jour…?

Pour répondre à votre question, Jacques, je dirais qu'il va falloir vingt ans aux socialistes pour reconquérir l'Élysée. Ils me détestent, alors qu'ils me doivent tout. Avant, lors des soirées électorales, la gauche venait toute penaude, elle était battue, et la droite la regardait avec dédain. J'ai tout bousculé. Il en a fallu du temps, de la patience, de la volonté pour rebondir après les coups bas des gaullistes. Pour nous, c'était anormal, et vous le savez Jacques. Déjà, les socialistes s'en rendent compte. Et, plus tard, quand ils reviendront au pouvoir, ce sera normal. Ils seront donc normaux. Dire que la mort va me retirer tout cela. Quand je me regarde dans la glace pour me raser, je ne me reconnais plus. C'est un inconnu qui me regarde. Je n'ai pas peur de la mort. Par contre, ne plus vivre…

Et là, le président lâche sa cuiller et pousse un hurlement. Il se redresse en agitant les bras comme s'il venait d'être touché par un projectile. Libert craint qu'il ne fasse une attaque. Le médecin le prend par les bras et l'allonge sur le parquet sans ménagement. Le président se recroqueville en chien de fusil. Il serre les poings et ferme les yeux. Le médecin dit que c'est une douleur aiguë, ça lui arrive parfois en fin de journée, avec l'extrême fatigue, la voiture, l'hélicoptère. On sonne à la porte. C'est l'officier de sécurité. Libert ne l'avait pas remarqué. Il a cru entendre un bruit bizarre, dit-il, comme pour s'excuser. Le médecin fait barrage. Il le rassure. Pas question qu'il voit l'ancien chef d'État dans cette position. Le président reste muet durant plusieurs minutes, blotti dans sa veste froissée. Je suis dans le ventre de ma mère, finit-il par chuchoter. Je la vois m'emmener à Aubeterre. Je découvre la nef de l'église creusée à même le roc, les sarcophages alignés comme, plus tard, les cadavres à Dachau. Ma mère est là, elle me rassure. C'était terrifiant, cet endroit, pour un enfant. La nécropole est immense, avec des crânes, des côtes et des tibias partout. Et envoûtant aussi. Il y avait cette odeur de moisi également, que j'ai reconnue en entrant ici.

Il ne délire pas. Il est parfaitement lucide. Aubeterre est dans sa Charente natale. La petite rivière de son enfance, la Dronne, y coule. L'eau… promesse d'une fuite vers un ailleurs exaltant. Le cerveau de Libert enregistre chaque détail de la scène, le visage de l'homme à terre, son expression figée dans un entrelacs de rides grises, son corps épuisé flottant dans des vêtements immenses, ses gros godillots beiges de marcheur alors qu'il peut à peine se tenir debout.

Le médecin l'aide à se relever, puis à s'asseoir sur la chaise à la table rectangulaire où l'attendent les restes de la tarte Tatin. Il respire longuement sans parler. Libert se sert un verre de Crested Ten. En passant derrière la silhouette voûtée du président, il remarque une escarre derrière l'oreille droite, trace probable d'une chute récente.

J'espère que vous n'écrirez jamais cette scène, dit le président. Même mort, je peux encore frapper ceux qui voudraient me nuire. Puis il étouffe un rire. Il veut finir sa tarte. Il reprend des couleurs. Il demande au médecin d'aller chercher le dossier resté dans le 4×4.

Le président fixe Libert, assis en face de lui. Vous aviez une femme très belle. Je n'aime guère les blondes, mais je dois reconnaître que Laure aurait pu me faire changer d'avis. C'était une blonde piquante. D'habitude, les blondes sont trop froides. Elle était svelte, élancée, sans bijoux. Je déteste les femmes à bijoux et fardées. Du naturel ! Elle était plus jeune que vous. Quinze ans de moins, si je ne trompe. La mère de ma fille avait dix-huit ans quand je l'ai rencontrée. J'en avais alors quarante-cinq. J'avais fait plus fort que vous. J'ai toujours fait plus fort que vous. C'était en 1961, à Hossegor. On buvait des orangeades dans la pergola, sous les arcades blanches, après le golf. La femme idéale doit avoir une trentaine d'années. Avant, ça joue trop. C'est lassant. Vous avez soixante ans, Jacques. Vous devez être insatiable. En plus, un écrivain, ça plaît, ça fait rêver. Moins que président de la République, je vous l'accorde.

Il soliloque. Il a repris l'avantage. Son corps lui offre un répit. L'esprit contrôle à nouveau tout. Il peut jouer avec son fidèle conseiller. Le médecin a déposé sur la table rectangulaire, près des miettes, un dossier de couleur bleue. Votre femme avait des yeux magnifiques, larges et très expressifs, poursuit le président. La première fois que je l'ai vue, j'ai pensé aux yeux de la comédienne Anna Karina. Elle aimantait les hommes. Je me suis occupé de son divorce d'avec Godard, en 1968. J'étais au fond du trou. Sans un sou en poche. Roland Dumas m'a recruté en tant qu'avocat. C'est ainsi que j'ai plaidé cette affaire pour son cabinet. Vous ne le saviez pas, hein ! Vous ne savez pas tout. Personne ne sait tout sur moi. Je ne suis pas Montaigne. Je ne ferai jamais cette folie de me peindre entièrement. Je ne comprends pas pourquoi vous avez tué Laure, à votre façon. On ne tue pas une femme, surtout quand elle porte des bas. Et parfois des porte-jarretelles. Le bon goût est si rare. C'était une Bois-moreau, et alors ? La liberté se conquiert. Vous auriez dû l'aider dans cette conquête. Au contraire, vous l'avez détruite.

Le président reprend son souffle et se concentre. Il sait que ce qu'il va dire est de la plus haute importance. Il savoure l'instant. Voici le but de ma visite, Jacques. La DST a enquêté sur votre épouse. Plusieurs éléments sont en ma possession. Ils vous intéresseront sûrement. Quand votre femme est revenue vous voir, elle vous avait quitté depuis un an. Elle était en Italie. Elle rendait assez souvent visite à un membre fondateur des Brigades rouges, Mario Malanese, dans cette prison dont j'ai oublié le nom, sur une île de la mer Tyrrhénienne. Elle avait des liens étroits avec la famille de ce brigadiste, soupçonné d'avoir enlevé et même exécuté Aldo Moro. Vous regarderez. Tout y est. Il y a même une photo de votre femme à la porte de la prison. Elle est superbe dans son long manteau blanc. Mais elle n'est jamais passée à l'extrême gauche. Elle était seulement un agent infiltré au service de la CIA. Du reste, on soupçonne ce Mario d'avoir également appartenu à la CIA. Les agents de la DST pensent qu'elle a été approchée à la suite de votre livre sur la dénonciation du Goulag. Elle parlait couramment l'italien. Mais il manque des pièces au puzzle. Comme pour toute vie. Vous l'avez rencontrée à Venise où ses parents possédaient un appartement. L'industriel Jean-Baptiste Boismoreau, son grand-père, avait eu un rôle ambigu durant la guerre. Il était reçu à Vichy, à la table de Pierre Laval.

Il y a une photo en noir et blanc dans ce dossier où on le voit en nœud pap et manteau de cuir devant la tombe du Soldat inconnu, le 11 novembre 1942, aux côtés de Laval et Paul Morand. Il possédait une grosse fortune, il savait beaucoup de choses, il pouvait être, à la Libération, un rempart contre les Soviétiques qui menaçaient l'Europe. Laure s'est trompée en vous épousant. Certes, vous êtes anticommuniste mais vous êtes surtout resté un enfant, Jacques. Un enfant capricieux. C'était une femme d'exception, Laure. Vous regarderez tout ça, y compris la dernière page. Je l'ai annotée pour vous.

L'entretien est terminé. Il referme le dossier bleu portant les initiales «LL», et fait signe au médecin de l'aider à se lever. Il met sa casquette, prend sa canne et se dirige vers la sortie, à petits pas, toujours soutenu par le médecin. L'officier de sécurité le guide jusqu'au 4×4. Les voisins regardent la scène, médusés. Ils n'en croient pas leurs yeux. C'est bien l'ancien chef d'État qu'on hisse à la place dite du mort. Libert le rejoint. La portière se referme. Le président baisse la vitre : Vous ne serez jamais adulte, Jacques, murmure-t-il dans un souffle. Ce n'est pas plus mal, au fond. Je vais passer le 18 juin à Venise, chez mon ami Zoran Mušič. Ainsi échapperai-je aux commémorations gaullistes. Vous vous souvenez quand nous avons rencontré, sur les *Zattere*, cet écrivain aux yeux bleus qui m'a tant raillé ? Il m'avait présenté Lauren Bacall. J'aurais voulu bavarder avec elle mais lui, il souhaitait absolument se promener quelques instants avec moi. Les écrivains sont des enfants. Il marqua une pause. Je vais vous faire une ultime confidence, Jacques. Lors du dernier Conseil des ministres que j'ai présidé, face à Balladur et la quarantaine de ministres de droite pressés que je quitte le pouvoir, ce pouvoir qu'ils croient exclusivement réservé aux intérêts qu'ils représentent, je me suis lancé dans une petite confession dont j'ai le secret, où j'évoquais la France, l'Histoire et un peu la mort aussi, la mienne qui arrive. Je les ai vus soudain goguenards, oui, tous, les uns après les autres. Sauf Balladur, très pincé, comme toujours. J'ai remarqué qu'un petit papier circulait de main en main. Ils le dépliaient, le lisaient, et réprimaient un sourire imbécile. Une fois le Conseil terminé, j'ai convoqué Balladur qui avait mis le bout de papier dans sa poche. « Monsieur le Premier ministre, lui ai-je dit, en le regardant droit dans les yeux, je vous prie de me donner le papier que vous avez rangé dans votre poche. » Il a hésité, puis obtempéré. Vous savez ce qu'il y avait écrit sur ce mot ? « On s'en fout ! » Ah, si vous aviez vu la tête de Balladur ! Les joues roses et la bouche en cul-de-poule ! Retenez cette leçon d'humilité, Jacques. On se fout de vos livres, de votre femme, de votre misérable personne, de tout. Les

Béotiens dirigeront bientôt le monde. Dites donc, la maison de vos voisins, elle est vraiment proche de la falaise. Elle va bientôt tomber. La vôtre aussi, non ? Tout va s'effondrer, ici, comme ailleurs. Au revoir. Et la vitre teintée remonta lentement.

Le 4×4 démarre. Libert regarde l'engin, scarabée noir, s'éloigner puis disparaître dans le ciel couleur de miel. Il remonte les marches du perron, claque la porte et regarde le dossier bleu sans l'ouvrir. Il a peur de son contenu, en particulier de la dernière page. Il finit par le prendre, se rend à la cave, le range dans un coffre-fort caché derrière des bouteilles de bordeaux. Il ne le lira pas. C'est décidé. Il l'oubliera, il y pensera soudain, puis l'oubliera à nouveau. C'est son cancer à lui. Avec rémission et période critique.

Le jour de la mort du président, il a failli le brûler, sans le lire. Il ne l'a pas fait.

37

Voilà, Libert était devant le coffre-fort, son passé douloureux. Treize ans s'étaient écoulés depuis que le président lui avait remis le dossier bleu. Il avait failli tomber à plusieurs reprises. D'abord dans l'escalier en chêne de la maison ; puis dans celui en pierre de la cave. Son pull noir en V était recouvert de poussière. Il en avait partout. Ça sentait l'humidité. De l'eau suintait des murs. La roche s'effritait. Ça allait lâcher. Tout partirait bientôt dans un fracas épouvantable. Plus aucune bouteille ne cachait la porte du coffre. Il tourna les quatre boutons dans le sens des aiguilles d'une montre. «1983». L'année de naissance et de mort de Clément. Il enfonça la clé dans la serrure. Voilà. C'était ouvert. Le coffre contenait le dossier bleu et un .357 Magnum donné par un officier de la sécurité de l'Élysée. Il prit le dossier à la couleur défraîchie, s'assit sur un casier à bouteilles. La lumière du jour filtrait à travers une petite fenêtre rectangulaire dont les deux carreaux étaient brisés. Son cœur battait fort. Il transpirait. Les premiers rapports, il les lut en diagonale. Le président n'avait pas menti. Laure, semble-t-il, avait infiltré les milieux brigadistes à une période où ils étaient en sommeil. Elle collectait des renseignements pour le compte de la CIA. La famille Boismoreau avait une dette imprescriptible à payer. Son grand-père, Jean-Baptiste, farouchement anticommuniste, s'était immédiatement mis au service des Américains après 1945, ce qui lui avait permis de ne pas être inquiété par la justice française. On avait passé l'éponge sur son passé vichyssois. Les vacances touristiques de Laure étaient, en réalité, très politiques. Il continua de lire. Il découvrait des noms italiens qu'il ne connaissait pas. Les fonctionnaires parlaient parfois de lui : «Son mari semble tout ignorer» ; «Il déteste sa femme» ; «Il fréquente Marie de Sutter, journaliste à RTL. La liaison semble sérieuse.» Dans la marge, le président, de son écriture ronde et bleue, a noté, en soulignant le dernier mot : «Il est en service commandé.» Il regarda longuement certaines photos de Laure. Elle paraissait heureuse. Elle échappait à l'enfer de son mari, elle pouvait vivre, enfin. Libert retrouvait ses cheveux blonds, ses robes légères, sa taille de guêpe, sa beauté d'avant leur rencontre. Il ne pensait pas qu'il éprouverait encore quelque chose en découvrant des photos prises par des agents de la DST. Il avait la bouche sèche. Ses mains tremblaient quand il ouvrit le dernier rapport signalé par le président. Il lut, ligne après ligne, sans sauter le moindre mot.

Laure avait quitté définitivement son mari pour rejoindre la famille de Mario Malanese. Il semble qu'elle ait tissé des liens de confiance avec la sœur de Mario, Raffaella. Jacques Libert buvait beaucoup, il était devenu dépendant à l'alcool. Selon Raffaella, il brutalisait sa femme. Il la battait avec des orties. Il l'humiliait. C'était un pervers manipulateur. Elle aurait pu faire face. Mais elle avait décidé de s'enfuir pour préserver son enfant. Les photos jointes prouvaient bien qu'elle était enceinte. Elle avait accouché à l'hôpital de Venise d'une fille prénommée Louise.

Dans la marge, le président a écrit : «Je l'annoncerai moi-même à JL.»

Les agents de la DST avaient pris plusieurs clichés en couleur. On y voit Laure Libert le ventre rond sous sa robe, les joues pleines. Sur une autre photo, elle pousse un landau à larges roues, accompagnée de Raffaella, sur l'île de la Giudecca. Derrière ce cliché, le président a noté : «L'imbécile.»

Puis encore cette note : «Laure Libert va rentrer en France. Il se pourrait qu'elle ait décidé de révéler l'existence de sa fille à son mari et de demander le divorce. Elle a confirmé qu'elle ne voulait plus travailler pour les services secrets américains. Ci-joint le rapport du commandant John Richardson.»

Dans la marge, le président a écrit : «Doit être protégée par un agent de sécurité. JL est-il le père ?»

Enfin cette ultime note : «Raffaella, interrogée par nos services, assure que Laure Libert lui a confirmé que son mari est le père de Louise.»

Dans la marge, le président a écrit, en soulignant : «Une fille!»

Toutes ces notes étaient paraphées des initiales «FM».

Le dossier tomba des mains de Libert. Les clichés et les feuillets jaunis se répandirent sur la terre battue. Il attendit une ou deux minutes, immobile. Puis il remonta l'escalier tant bien que mal, haletant, cherchant sa respiration au fond des poumons. Il avait glissé le .357 Magnum dans son dos, retenu par la ceinture de son pantalon.

38

Libert grimpa à quatre pattes l'escalier menant à son bureau, comme un vieillard impotent, ce qu'il était devenu. Il se hissa sur son fauteuil, à bout de souffle. Il ne savait pas où était sa canne. La fenêtre laissait entrer un peu de pluie, poussée par le vent d'ouest. Au large, des éclairs zébraient le ciel noir. Un poids pesait sur sa poitrine, une main serrait sa gorge. Il posa le .357 Magnum sur la table, alluma l'ordinateur, regarda le portable. Louise l'avait appelé à trois reprises sans laisser de message. Elle voulait lui parler en direct. Il supprima le fichier « *Louise* ». Inutile d'en rajouter dans l'abjection. Il envoya un e-mail à son éditeur dans lequel il donnait son ultime accord pour publier le roman autobiographique désormais intitulé *Le soleil et l'ombre*. Il lui indiquait également le nom et les coordonnées de Brunet pour écrire le livre consacré au président. Ce journaliste n'était peut-être pas si mauvais que ça. De toute façon, le temps lui manquait. Le titre *L'oreille et la main* lui convenait. Le portable sonna. La photo de Louise apparut sur l'écran. Il l'avait prise dans les jardins du Manoir d'Ango. Il se dit qu'elle avait le regard de Laure. Immense et douloureux, sans la douceur du bleu. Quand on connaît la vérité, elle apparaît comme une évidence. Il ne décrocha pas, il n'avait pas fini de mettre de l'ordre dans sa vie qui s'effilochait. Il respirait de plus en plus mal. Il inhala deux ou trois bouffées de Ventoline, il ne compta pas. Il joignit un fichier à l'e-mail de son éditeur. C'était le témoignage qu'il avait lui-même rédigé sur les années passées auprès du président. Des entretiens entrecoupés d'un récit maîtrisé, ça devrait coller, pensa-t-il. Il faisait confiance à l'opportunisme de son éditeur pour en faire un best-seller. Son testament avait été rédigé avant son départ pour Venise. Mais il avait désormais une fille. La bicoque allait s'écrouler, la voiture ne valait plus grand-chose. Il y avait cependant les droits d'auteur de ses romans qui se vendraient comme des petits pains après sa mort. Il écrivit un codicille à son notaire, où il indiquait qu'il léguait toute sa fortune à Louise Libert, appelée provisoirement Zanotti. Il en fit une copie à son avocat et à Daniel Morain. Une fois redevenu député, il pourrait agir efficacement en cas de litige.

Restait à affronter Louise, cette fille venue de nulle

part. Il reconnaissait qu'il avait tout imaginé à son sujet, romancière en herbe à la recherche d'inspiration, journaliste people, agent du SVR, mais pas qu'elle pût être son enfant.

Le tonnerre retentit quelques secondes après l'éclair. L'orage se rapprochait. Il alluma la lampe du bureau. Il faisait nuit à l'heure où le soleil aurait dû être haut dans le ciel. Des rafales de vent et de pluie mêlés secouaient les volets, frappaient les vitres. Libert suffoquait. Il déboutonna deux boutons de sa chemise, libérant sa poitrine. Le cœur s'affaiblissait, le corps se déréglait. L'oxygène venait à lui manquer. Il allait crever. Il ne parlerait pas à Louise. C'était trop tard. Il eut encore la force d'appuyer sur la télécommande de la minichaîne hi-fi. Il allait crever en écoutant une dernière fois de la musique classique. Depuis plusieurs jours, il écoutait *Nabucco* de Verdi. Il se dit que la vie était passée très vite, que la liste des regrets était trop longue, qu'il persistait à s'avouer coupable de la mort de Laure, qu'il ne dirait jamais «je t'aime» à sa fille, Louise, qu'il était fier d'avoir œuvré pour le rapprochement entre l'Allemagne et la France, que l'extermination de six millions de Juifs avait changé, pour toujours, la manière de penser l'homme, que l'art permettait de témoigner de la barbarie, comme cet opéra qui évoque la déportation des Juifs par Nabuchodonosor il y a 2 500 ans.

La musique secouait l'âme du vieil écrivain comme l'orage secouait les arbres et la maison.

*

Une détonation se produisit. Louise crut qu'il s'agissait du tonnerre. C'est en ouvrant la porte du bureau, là où son père avait toujours écrit, qu'elle découvrit qu'il venait de se tirer une balle dans la bouche explosant la boîte crânienne comme un bubon trop mûr, dans une gerbe de sang et de cervelle jaunâtre. Trempée de la tête aux pieds, toute tremblante, aucune larme ne coula de son regard pétrifié. Elle redescendit l'escalier, comme une automate, tandis que le chœur de *Nabucco* et la multitude d'éclairs finissaient de rendre cette fin de journée irréelle. La confrontation avec son père n'aurait jamais lieu. Elle avait trop tardé, par manque de courage. Dès la première rencontre, elle aurait dû lui dire qu'elle était sa fille, qu'elle avait mis des années avant d'accomplir le but de sa vie : frapper à sa porte. Elle prit conscience qu'elle était à présent orpheline, et elle se mit à pleurer comme jamais elle n'avait pleuré.

39

Quelques heures plus tard, Louise prit connaissance de l'ultime mail envoyé par Libert.

« Louise,
Le passé ne doit pas hanter ta vie qui commence vraiment maintenant. Je sais ta frustration, elle est immense, mais les forces me quittent, et le peu d'alacrité mentale qu'il me reste, je te le dois bien. Bonjour jeunesse, voilà ton credo. Travaille, apprends, lis, écris, travaille, et surtout reste libre. Fais-leur comprendre que tu sais, en permanence, ils te foutront la paix car ils te craindront. Et s'ils s'approchent trop près de ton jardin secret, mens, mens toujours, brouille les pistes, mène-les où tu n'iras jamais. Sois clandestine, avec de fausses cartes d'identité. Et ne juge pas trop sévèrement. L'homme est complexe, et c'est justement sa complexité qui fait sa richesse. Je suis un être

détestable, ma dynamique a toujours été construite là-dessus. Le reste se trouve dans mes livres, parfois entre les lignes»

Le mail s'achevait ainsi, sans même un point final. Libert avait dû conserver ses ultimes forces pour vaincre ce satané instinct de survie et appuyer sur la détente.

Louise fixait la boîte mails. Comme si son père n'était pas mort et qu'il allait lui écrire encore.

40

La grosse berline à cocarde stoppa devant l'entrée de l'église de Varengeville. Le petit parking était complet. Des passants reconnurent le maire, quand il s'extirpa de la voiture, et lui firent un signe de la tête. Il sourit à peine. Comme d'habitude, il transpirait et la veste de son costume était fripée. Le ciel s'assombrissait mais il ne pleuvait pas. Il longea les tombes. Tout le monde n'avait pu entrer dans l'église. Il se rendit au premier rang, à droite, où se trouvaient les personnalités et la famille. Comme les Boismoreau avaient refusé de venir à l'enterrement, il n'y avait que Louise. Quelle n'avait pas été la surprise de Morain quand elle lui avait révélé qui elle était. Il croyait être blindé, mais ça l'avait sacrément ébranlé, tout comme il avait été surpris des résultats du premier tour, dimanche, quand il était arrivé largement en tête, devant le candidat du Rassemblement bleu

Marine. La petite Marie-Anne Boismoreau, candidate UMP, arrivée en troisième position, s'était retirée en appelant à voter pour le socialiste Daniel Morain. Si Libert ne s'était pas suicidé, il aurait sûrement goûté le piquant de la situation. Mais son ami avait refusé la déchéance ultime : il avait choisi sa mort comme il avait choisi sa vie.

À présent, Morain se tenait droit comme un I, menton relevé, à côté de Louise. Elle était belle dans sa douleur, jean noir et petit pull ras de cou gris perle. Le président de la République avait fait déposer une gerbe devant le cercueil. Le gouvernement était représenté par la ministre de la Culture que Jacques appréciait comme écrivain. Et il avait la dent dure. Elle avait signé un roman émouvant sur la disparition de la classe ouvrière. Elle lui faisait penser à la fille du président. Il se plaisait à le dire, le regard espiègle. Morain ne parvenait pas à se concentrer sur la cérémonie. Il sentait la chaleur de Louise, la chair vivante de son camarade, là, invisible, allongé dans son cercueil sans crucifix, faiblement éclairé par le vitrail bleu de Braque, qu'il aimait tant, et qui laissait passer le gris d'une couleur triste, convenable pour la circonstance. Il pensait à tout ce que Libert représentait pour lui. Il pensait qu'il allait gagner cette élection, qu'il la lui dédierait, et qu'il parlerait à sa fille. Louise respira un grand coup quand le poème de Léo Ferré, «La mémoire et la mer», retentit dans l'église pleine à craquer. Morain pensait qu'il fallait préserver l'âme de son ami, pour sa fille au bord des larmes. C'est alors qu'il lui prit la main, main douce et froide, main qu'il ne quitterait jamais, tant qu'il serait en vie, il en faisait le serment, devant le cercueil.

Il se mit à pleuvoir sur le vitrail de Braque représentant l'Arbre de Jessé. Aucun maladroit ne salirait sa mémoire. Morain y veillerait.

Le curé expédia la messe. Il tolérait un suicidé, c'était déjà beaucoup. Et Léo Ferré, poète anarchiste, c'était un peu trop. Il devait préférer les textes moralisateurs de saint Paul.

Le cercueil porté par quatre gaillards quitta l'église suivi par Louise et Morain. Le maire reconnut quelques fidèles du président dont la crinière blanche de Roland Dumas. Il manquait cependant celui que Jacques appelait «Je sais tout», et aussi le bedonnant à bretelles. Les autres étaient morts, où avaient changé de camp, à l'image du maquignon à ventre, se dit Morain. Louise, quant à elle, repéra furtivement dans la foule la tête de Martin Brunet, dépassant de sa parka. Elle ne connaissait pas, en revanche, la silhouette imposante de l'éditeur de son père, Dominique Salberg.

Ce n'est pas le soleil mais la pluie qui attendait le cortège. On déplia les parapluies, on se bouscula un peu, les vivants ne voulaient pas perdre leur place. Le cercueil se dirigea jusqu'au caveau descellé de Laure Libert. Jacques retrouvait sa femme après vingt-deux années d'absence. À l'aide de cordes, les fossoyeurs descendirent le cercueil. C'était fini. Une pelletée de terre, une rose rouge, un adieu murmuré. Une rage contenue, peut-être.

Personne ne savait qui était cette jeune femme mince aux cheveux bruns et au regard vert perdu, mais tous, ou presque, la saluèrent en pensant qu'elle était la fille de Jacques Libert. Morain, qui restait près de Louise, s'aperçut que des journalistes attendaient à la sortie du cimetière. La ministre de la Culture serra Louise contre sa poitrine. Morain en profita pour lui demander de contenir les journalistes avec l'aide des officiers de la sécurité. La ministre fit oui de la tête. Louise put s'engouffrer à l'arrière de la voiture du maire en évitant les micros. Vous êtes trempée, dit Morain sur un ton paternel. Nous allons passer à votre domicile pour vous changer. Ah, ces journalistes, vous n'en avez pas terminé avec eux.

La Citroën bleue aux vitres fumées eut du mal à se frayer un passage parmi la foule venue assister à l'événement de l'année. Ou du siècle même. La dernière fois que le village avait été en ébullition, c'était à la mort de Laure.

Louise, dit Morain, en consultant son portable, je

dois être élu sans problème dimanche. Sachez que ma proposition tient toujours. Si vous le voulez, vous serez mon attachée parlementaire.

Louise ne répondit pas. Elle regardait le bocage normand noyé de pluie défiler derrière la vitre. Elle revoyait Libert, la tête arrachée par la balle, le sang répandu partout, les bouts de cervelle ; elle entendait l'opéra de Verdi ; elle voyait le visage de sa mère sur une photo en noir et blanc, sa mère qu'elle n'avait jamais connue. Elle avait peur de se retrouver seule chez elle ; elle avait peur d'habiter la vieille maison sur la falaise ; elle avait peur de l'avenir. Elle finit par murmurer : Je peux habiter chez vous et suivre la campagne ? Bien sûr, répondit Morain, qui achevait un SMS. Non, dit-elle, je veux savoir si vous le voulez vraiment ! Morain rangea le portable dans la poche de son costume humide. Il confirma qu'il souhaitait vraiment l'avoir auprès de lui. Morain se cala sur la banquette de cuir noir. Il ferma les yeux. Dimanche, oui, il serait à nouveau député. Il ne put s'empêcher de sourire. La politique, quand c'est inscrit dans les gènes, on ne renonce jamais, affirmait Libert. Ça serait comme vouloir cesser de respirer, ajoutait-il, impavide. La berline entra dans Pourville. Des vacanciers très blancs regardaient passer cette grosse voiture, l'air indifférent. Chaque être humain cherche un sens à sa vie. On peut faire un enfant, ça prend quelques secondes, on peut écrire un livre, ça prend plusieurs mois, on peut devenir président de la République, ça prend une vie. On peut aider une jeune femme paumée à devenir une femme, ça n'a rien à voir avec le temps.

41

C'était dimanche, jour du second tour des élections
législatives. La terre exhalait une odeur d'herbe tendre.
Les merles sifflaient dans les pommiers. Louise lisait
dans le jardin des Morain. Elle portait un jean et un
T-shirt jaune paille. Elle avait imprimé les mémoires
inachevés de Libert. Ainsi découvrait-elle la vie de
son père auprès du président, cet homme complexe.
Il avait bel et bien été l'oreille et la main, pensa-t-elle,
le regard triste. Elle feuilletait les pages consacrées à
la bergerie de Latche, ses trente-sept hectares de forêt
que de multiples vagues de sable séparent de l'océan
terrible qui fascinait le président par sa force brutale. Mais, par-dessus tout, il aimait les arbres. Il en
avait planté certains. Il les voyait croître, scrutant les
troncs afin de vérifier qu'aucune maladie ne perturbait
leur croissance. Son père racontait une promenade
à la tombée du jour parmi les pins et les chênes. Il

revivait sous les yeux de Louise. Il semblait aérien, svelte, dans la plénitude de la quarantaine. Un beau regard bleu, pas encore usé, et des cheveux grisonnants. Le président avait chaussé ses gros godillots, il arborait une chemise à carreaux de bûcheron canadien et un panama blanc, à large bord et ruban noir, le même que portait François Mauriac, il enfonçait sa canne dans le sol sableux du chemin qui serpentait. Ça sentait les aiguilles de pin tiédies au dur soleil d'août. Le ciel flambait. La maladie ne rôdait pas. Le doute n'était pas de mise. À la prochaine présidentielle, VGE serait battu. Ce paysage vous parle-t-il, Jacques ? demanda le président. Vous êtes un homme de la mer. Vous avez l'âme romantique, comme Chateaubriand. Il vous faut les embruns, les marées, le bruit des vagues et du vent. J'aime la paix de la forêt, la douceur de la campagne. Mauriac me plaît pour cela. Il reste fidèle à la quiétude de Malagar, le pays de son enfance. C'est important de se souvenir de son enfance. J'aime la France de Mauriac, parce que je la sens, je l'aime charnellement. C'est la France de tous, sans exception. Je ne comprends pas comment on peut avoir «une certaine idée de la France» pour reprendre l'expression des gaullistes. Vous ne pouvez pas vous opposer en permanence à de Gaulle, rétorqua Libert. Et pourquoi pas ? demanda le président, fort irrité. Il n'y a que lui et moi !

Grâce à ce témoignage, elle découvrait l'heure miraculeuse avant le coucher du soleil, le vacarme sourd de la mer dans le lointain, la vaste pièce ronde aux murs remplis de livres de poche, la table de travail, le cœur secret d'un dispositif dont le seul but était la conquête du pouvoir. Mais surtout, elle tentait, à travers ces lignes, de comprendre la personnalité de celui qu'elle appelait désormais son père.

Toujours dans ce texte, elle avait appris que le président craignait l'abandon. Ça venait de son enfance quand, à son détriment, son frère aîné, malade, avait suscité l'intérêt de la famille. Il n'était donc pas question pour lui de laisser tomber un ami, même si ce dernier avait enfreint les lois de la République. La peur de l'abandon. Rester seul, face à soi-même, le ventre labouré d'angoisses. En se suicidant, son père l'avait placée dans cette insupportable situation.

Louise chassa ses idées noires en pensant à Brunet, l'homme heureux. Il allait rédiger les entretiens, rassembler les différentes pièces du puzzle, et toucher au passage un substantiel à-valoir. Dominique Salberg venait de lui confirmer son contrat. Les choses ne traînaient pas quand il y avait pas mal d'argent à la clé. Brunet remercia Louise en lui disant que jamais il n'aurait imaginé qu'elle était la fille de Libert. Elle avait rétorqué qu'elle était aussi la fille de Laure. Brunet n'avait rien répondu. Salberg, en revanche, s'était écrié, et la phrase résonnait encore dans la tête de Louise : C'est éminemment dramaturgique ! Il s'empressa de lui demander ce qu'elle ferait pour les pages où son père se rend responsable de la mort de sa femme. Elle dit, laconiquement : Il a voulu qu'il en soit ainsi, qu'il passe à la postérité coupable. Je n'ai pas le droit de supprimer ce passage. Tout acte de création est un acte de destruction. Ici, il est dirigé contre soi. Après tout cette accusation n'est pas totalement fausse. Cette dernière phrase, elle la garda pour elle.

*

À 20 heures passées de quelques secondes, Morain appela sa femme. Il était élu député. Mais le score lui déplaisait. 60 % contre près de 40 % pour le candidat d'extrême droite. Des électeurs de l'UMP avaient voté pour celui présenté par le parti de Marine Le Pen. Ou contre l'ami de Libert... De toute façon, les temps changeaient. Jean-Marie Le Pen était un jouisseur. Le pouvoir, il le vomissait. Pour rien au monde, il n'en aurait voulu. Morain pensait qu'il avait été cette flamme qui brûle au-dessus des puits de pétrole pour éviter l'explosion. Désormais, tout avait changé. On entrait dans une incertitude angoissante. La peur régnait.

Louise regagna sa chambre, sans manger. Elle s'allongea sur le lit et poursuivit sa lecture comme si de rien n'était. Son père était là, vivant dans chaque ligne, elle croyait entendre sa voix ressusciter une vie qui appartenait désormais à l'Histoire. Il était présent dans cette chambre cafardeuse, elle le voyait, elle le sentait, ses yeux bleus, tantôt doux, tantôt cruels, la fixaient et lui rappelaient que le monde est un immense bordel de cynisme et de turpitudes, gouverné par des obsédés sexuels qui ne servent que leur instinct. Après avoir allumé une cigarette, elle tomba sur cette phrase : «Vous ne connaîtrez jamais le dégoût que j'ai de moi-même.»

Elle faisait sienne cette affirmation.

42

L'air sentait la marée. Louise entra dans la petite
église. Des cierges fondaient devant la statue de la
Vierge. Il n'y avait personne. Elle traversa la nef et
s'assit derrière l'autel, dans une pénombre propice à
la méditation. Elle posa sur ses genoux les dernières
roses du jardin dont le parfum se mêlait à l'odeur de
moisi. Elle ne bougeait plus, respirant à peine. L'humidité tombait sur ses épaules. Elle regardait le vitrail
de Braque représentant l'Arbre de Jessé. Trois noms
y étaient inscrits : Jessé en bas, Marie au milieu, Jésus
en haut. Élévation vers le bleu bouillonnant du ciel.
Monter, monter toujours, alors qu'il est si difficile de
vivre ici-bas en se tenant debout. La porte de bois cla-
quait derrière elle, le vent roulait des pelotes de pous-
sières sur la pierre froide. Un Jésus statufié découvrait
son cœur, comme une femme dévoile son sein. Les
minutes mouraient dans l'espace, une à une. Elle était

seule, aucun prophète ne lui traduisait l'indicible, pas de réponse concevable, simplement un rai de soleil filtré par l'œuvre singulière de l'artiste. Cela suffisait.

Elle sortit. Des feuilles jaunes tourbillonnaient entre les tombes. Elle déposa les roses blanches sur la sépulture de ses parents, et rentra chez elle.

Cet ouvrage est imprimé sur papier fabriqué à partir de bois
provenant de forêts bien gérées (www.fsc.org).

Mise en page : Dominique Guillaumin, Paris

Achevé d'imprimer en novembre 2014
dans les ateliers de Normandie Roto Impression s.a.s.
61250 Lonrai
N° d'impression : 1404344
ISBN : 978 2 37073 038 1
Dépôt légal : janvier 2015

Imprimé en France